CHEGA
(SE) JULGAR!

Dados Internacionais de Catalogação na Publicação (CIP)
(Jeane Passos de Souza - CRB 8ª/6189)

Clerc, Olivier
Chega de (se) julgar: 21 dias para reaprender a (se) amar / Olivier Clerc; tradução de Lana Lim. - São Paulo : Editora Senac São Paulo, 2016.

Título original: J'arrête de... (me) juger!
Bibliografia.
ISBN 978-85-396-1101-0

1. Autoestima : Psicologia aplicada 2. I. Título.

16-421s

CDD - 158.1
BISAC PSY036000

Índice para catálogo sistemático:
1. Autoestima : Psicologia aplicada 158.1

Olivier Clerc

Chega de (se) julgar!

21 dias para reaprender a (se) amar

Tradução: Lana Lim

Editora Senac São Paulo – São Paulo – 2016

ADMINISTRAÇÃO REGIONAL DO SENAC NO ESTADO DE SÃO PAULO
Presidente do Conselho Regional: Abram Szajman
Diretor do Departamento Regional: Luiz Francisco de A. Salgado
Superintendente Universitário e de Desenvolvimento: Luiz Carlos Dourado

EDITORA SENAC SÃO PAULO
Conselho Editorial: Luiz Francisco de A. Salgado
Luiz Carlos Dourado
Darcio Sayad Maia
Lucila Mara Sbrana Sciotti
Jeane Passos de Souza

Gerente/Publisher: Jeane Passos de Souza (jpassos@sp.senac.br)

Coordenação Editorial: Márcia Cavalheiro Rodrigues de Almeida (mcavalhe@sp.senac.br)
Comercial: Marcelo Nogueira da Silva (marcelo.msilva@sp.senac.br)
Administrativo: Luís Américo Tousi Botelho (luis.tbotelho@sp.senac.br)

Edição de Texto: Heloisa Hernandez e Luiz Guasco
Preparação de Texto: Bianca Rocha
Revisão de Texto: Karinna A. C. Taddeo, Viviane Aguiar
Editoração Eletrônica: Thiago Planchart
Impressão e Acabamento: Art Printer Gráficos Ltda.

Título original:
J'arrête de... (me) juger!

Groupe Eyrolles – 61 boulevard Saint-Germain – 75005 Paris, França

Organização da coleção: Anne Ghesquière
Ilustrações: Lulu in the Sky
Projeto gráfico: Hung Ho Thanh

Editora Senac São Paulo
Rua 24 de Maio, 208 – 3º andar – Centro – CEP 01041-000
Caixa Postal 1120 – CEP 01032-970 – São Paulo – SP
Tel. (11) 2187-4450 – Fax (11) 2187-4486
E-mail: editora@sp.senac.br
Home page: http://www.editorasenacsp.com.br

Sumário

Nota do editor

No dia a dia, muitas vezes nos cobramos por achar que poderíamos ter feito algo melhor ou por não ter a vida que nossos amigos, parentes e pessoas próximas têm. Da mesma forma, condenamos os outros por agirem e pensarem de modo diferente do nosso, sem mesmo nos preocuparmos em entender um pouco mais os seus motivos.

Entre essas duas situações, o que há de comum é o julgamento que emitimos contra nós mesmos e contra os outros, e o que esta publicação preconiza é tomarmos consciência de nossos sentimentos e pensamentos cotidianos, a fim de que consigamos separar os fatos em si de nossos juízos em relação aos acontecimentos e às pessoas envolvidas.

A partir de atividades que devem ser praticadas por 21 dias, período em que se devem exercitar a observação e o discernimento, *Chega de (se) julgar!* propõe anotar sensações e pensamentos que vierem à cabeça com conotação de julgamento, que podem surgir em nossas reflexões introspectivas ou ao agirmos em situações sociais cotidianas e ao reagirmos a elas. A intenção é identificarmos preconceitos e expectativas que precisam ser trabalhados, substituindo-os por estima, indulgência e amor por nós mesmos, que acabarão por emanar aos outros.

Lançamento do Senac São Paulo, esta obra tem como objetivo oferecer ferramentas para promover autoconhecimento, a fim de construir um ambiente mais harmonioso para todos, mais colaborativo e menos intransigente.

Agradecimentos

Muito obrigado às fadas e aos anjos que, com seus cuidados, acompanharam o nascimento deste livro: Annabelle, Anne, Gwénaëlle, Lulu, Marie, Pierre, Sandrine, Valérie e Thierry!

Prefácio

Foi com surpresa que li o e-mail no qual Olivier Clerc me pediu para redigir um prefácio para a obra que você tem em mãos. Na verdade, nós só nos conhecíamos por intermédio de nossos respectivos livros, então me perguntei o que poderia tê-lo levado a me fazer esse pedido. Eu havia lido algumas obras escritas por Olivier, nas quais descobri verdadeira sabedoria, aquele tipo de conhecimento que nasce da experiência, uma forma de inteligência que não pode ser contestada, pois se baseia em uma realidade vivida com humildade. Então, fiquei ao mesmo tempo impressionado e honrado, ainda mais porque, diante da fala ou da escrita de outro, muitas vezes me sinto como uma criança inculta e ainda muito inexperiente. Isso poderia parecer falsa modéstia. Na verdade, eu também preciso parar de me julgar!

A leitura deste novo livro me encantou. O tema abordado é essencial e a maneira como ele foi tratado me pareceu muito eficaz. Propor um aprendizado sobre não julgamento em um período de três semanas é uma excelente ideia, pois pude verificar que, em minha própria vida e na das pessoas que acompanho em consultas, é preciso tempo para se domar e adquirir os reflexos que resultam em uma mudança verdadeira. Tempo, disciplina e prática, com um rigor que às vezes é visto como uma restrição, uma obrigação que gera resistências. O melhor meio de evitar essa armadilha é entender que, na realidade, a disciplina e a prática necessárias à mudança são presentes que damos a nós mesmos, recursos com os quais nos presenteamos para nossa transformação. Ver tudo e nada julgar. Desenvolver aquilo que em meu livro *Le travail d'une vie* eu chamo de o "observador", aquele que é capaz, ao mesmo tempo, de objetividade e de compaixão.

É preciso poder exercer uma espécie de intransigência benevolente para escapar da culpa, ao mesmo tempo que assumimos nossas responsabilidades. Mostrar discernimento, relativizar, considerar vários pontos de vista, colocar os atos do outro e os nossos de volta em seu contexto, evitar fazer suposições, lembrar-se de que por trás de cada defeito existe uma qualidade, tornar-se indulgente, mas não complacente, entender, perdoar, pedir perdão, agradecer. Elogiar, falar bem, dar nossa bênção, bendizer. O ensinamento de Olivier Clerc – que é de fato um ensinamento – é pragmático, psicológico e espiritual no sentido em que ele nos ajuda a entender melhor o espírito de nós mesmos e dos outros, o sopro que nos torna vivos, o amor que nos conecta à vida.

Com sua experiência de tradutor, editor e autor, Olivier mostra aqui uma precisão que eu chamaria de cirúrgica. A escolha de suas palavras e a clareza de suas ideias funcionam como um bisturi, cujo manejo é indispensável quando se quer discernir os diferentes recursos que permitem julgar menos tanto si mesmo como os outros. Uma lâmina de precisão. Este livro é um valioso guia para o caminho iniciático que conduz ao amor verdadeiro – "o amor injusto", como chama o autor das linhas que seguem, um amor que não se contenta com as aparências e que está sempre dando uma nova chance ao continuar apostando no melhor.

Que você possa se presentear com um acesso a esse amor. Creio que esse seja o melhor meio de conseguir a cura de nosso coração ferido. Como diz tão precisamente Olivier Clerc, é preciso primeiro curar nosso coração antes de pensar em abri-lo. Precisamos parar de nos julgar. Se você não conseguir de primeira, não se julgue. Você logo entenderá que é a maneira mais segura de conseguir em uma próxima vez, pois o melhor ainda está por vir.

Thierry Janssen

Médico-cirurgião que se tornou psicoterapeuta especializado no acompanhamento de pacientes, autor de diversas obras, como Le travail d'une vie, Vivre en paix, La solution intérieure, Le défi positif *e* Confidences d'un homme en quête de cohérence, *e fundador da École de la Présence Thérapeutique.*

Introdução

Chega de (se) julgar? "Um projeto e tanto!", teria dito o general Charles de Gaulle. Soa um pouco como "chega de respirar", uma vez que vivemos em uma cultura na qual se julga tanto quanto se respira, dia e noite.

Até cerca de quinze anos atrás, se me dissessem que um dia eu escreveria um livro como este, sinceramente eu teria morrido de rir. Um riso provavelmente meio amarelo, de tão inacessível que esse objetivo teria me parecido na época. Eu, que consegui meu primeiro título universitário[1] aos 50 anos de idade – nunca é tarde demais para fazer bem-feito! –, teria merecido desde cedo um doutorado em julgamento, com menção honrosa. Julgar? Julgar a mim mesmo? Eu era mestre nisso desde a adolescência!

Contudo, logo me apaixonei por tudo aquilo que se relaciona ao desenvolvimento do potencial humano, a ponto de me dedicar a isso profissionalmente, tanto como escritor quanto como instrutor, tradutor e jornalista. Essa paixão abrangia dois domínios complementares, o espiritual e o desenvolvimento pessoal. Paradoxalmente, essa iniciativa teve como primeiro efeito acentuar minha tendência ao julgamento, fazendo com que eu me conscientizasse de todos os meus defeitos e insuficiências, no plano emocional, relacional, espiritual, e por aí vai. Eu já não me considerava à altura na escala de valores da sociedade, então imagine se comparado com os ápices obtidos por certos seres espirituais!

Minha sorte foi ter cruzado o caminho de inúmeras pessoas notáveis, que desenvolveram métodos e ferramentas de transformação pessoal eficazes.

Sempre disse que eu não publicava e traduzia livros, mas sim autores: em outras palavras, o que me despertava paixão em minha profissão

[1] Mestrado em Artes, Letras e Línguas da Universidade de Angers.

era encontrar as pessoas que estavam por trás das obras. Então, toda vez que possível, eu ia aprender com elas, o que também era para mim uma maneira de me certificar de que elas de fato viviam o que ensinavam. Não sou do tipo que compra, de um careca, uma loção para fazer nascer cabelo; se alguém pretende me ensinar a viver uma vida melhor, para mim essa pessoa precisa ela mesma ser o exemplo vivo daquilo que ensina. Uma questão de coerência.

Assim, pude fazer contatos determinantes que foram aos poucos mudando minha vida e me ajudaram a parar de julgar. Alguns deles, só para citar os mais influentes em relação ao tema deste livro, foram:

- **Marshall Rosenberg**, fundador da comunicação não violenta (CNV), cujo cultuado livro publiquei pela editora Jouvence e com quem fiz um curso em 1998. Foi com a CNV que aprendi o beabá da linguagem emocional que me faltava e desenvolvi um "segundo par de ouvidos", para escutar o coração e as emoções para além da mente e das palavras.
- **Don Miguel Ruiz**, autor do *best-seller* internacional *Os quatro compromissos: o livro da filosofia tolteca*, cujas primeiras obras publiquei, tendo traduzido quase todos os seus livros. Eu o encontrei pela primeira vez em 1999 no México, onde ele me fez vivenciar um ritual de perdão que revolucionou minha vida. Com ele, descobri que é a cura do coração, mais do que a abertura do coração da qual todos falam, que nos permite que enfim fiquemos em paz e nos libertemos dos julgamentos que nos intoxicam a vida.
- **Charles Rojzman**, fundador da terapia social, uma formidável ferramenta de transformação ao mesmo tempo individual e social, sobre a qual fiz dois anos de curso que me transformaram profundamente.
- **Dr. Stanislav Grof**, um dos pais da psicologia transpessoal e um dos gigantes do mundo da psicologia e da espiritualidade. A respiração holotrópica que ele desenvolveu com sua esposa, Christina, acabou me abrindo as portas para estados de consciência bem além de qualquer julgamento, que eu nem sequer suspeitava que existissem.
- **Dr. Lewis Mehl-Madrona**, precursor da medicina narrativa (cura ao contar histórias). Com ele, aprendi como reescrever de forma flexível a

história da minha vida, como sair dos meus antigos roteiros julgadores para desenvolver outros repletos de amor, alegria e positividade.

- Outros autores que traduzi ou publiquei sem conhecer, como **Ken Keyes Jr.**, **Byron Katie** e **Dan Millman**. A aplicação das ferramentas e reflexões que eles propuseram também ajudaram no meu crescimento.
- E, é claro, os muitos ensinamentos espirituais nos quais busquei incessantemente valiosas ferramentas de transformação pessoal, desde a tradição cristã, que foi minha base, até os budismos zen e tibetano, passando pelas obras de Aïvanhov, Steiner, Yogananda e muitos outros.

Enriquecer-se com abordagens diversas

"Para aquele que só tem um martelo", dizia Abraham Maslow, "todos os problemas são pregos". Em outras palavras, quem não estudou ou quem só domina uma única abordagem e uma única ferramenta de desenvolvimento pessoal corre o risco de se fechar dentro dela, de ver ali uma panaceia, de querer resolver tudo somente com esse meio, sujeitando-se a causar estragos. Na verdade, precisamos tanto de alicates quanto de chaves de fenda e de pinças, enfim, de uma caixa completa de ferramentas para resolver todas as situações que a vida nos apresenta.

Foi essa uma das lições essenciais que aprendi em minha trajetória de mais de trinta anos. Nenhuma ferramenta, nenhum método resolvem sozinhos nosso leque de problemas. Cada abordagem tem suas qualidades, mas também seus defeitos: cada uma delas traz *insights* interessantes, mas também possui pontos cegos que outras técnicas podem compensar apropriadamente. Foi de fato a aplicação de diferentes meios que permitiu que eu me libertasse de minhas antigas formas de funcionar e aos poucos adotasse novas maneiras, muito mais recompensadoras.

O que eu lhe proponho nas páginas que se seguem é, portanto, um amplo leque de reflexões, de ferramentas e de diferentes métodos que se provaram eficazes, para encaminhá-lo à libertação dos julgamentos, de si e dos outros, que intoxicam atualmente sua vida e suas relações.

Apropriar-se de cada ferramenta

Uma segunda grande lição que aprendi com meu próprio desenvolvimento, e que idealmente deveria acompanhar a transmissão de qualquer tipo de ensinamento, seja nas escolas, seja nas universidades, seja nos meios da espiritualidade e da psicologia, foi a necessidade de se apropriar das ferramentas e dos métodos que nos são transmitidos. Torná-los nossos.

Se alguém lhe oferecer uma maçã, você não vai colocá-la respeitosamente sobre um altar, queimar incenso, tocar sinos tibetanos e pronunciar mantras, pois não tirará nenhum benefício disso. Melhor do que isso é cravar seus dentes nela, explodindo sua forma, fazendo seu sumo jorrar, permitindo que seu sistema digestivo absorva suas vitaminas, seus minerais, etc., para fazer com que ela entre em sua carne... antes de expulsar pelas vias naturais os elementos que não lhe convêm.

Da mesma forma, você precisa ousar comer as ferramentas que lhe forem transmitidas: testá-las, dissecá-las, assimilá-las... e rejeitar também o que não lhe convier. Cada pessoa tem uma trajetória de vida única, experiências e referências diferentes. Logo, é normal que você se aproprie de maneira específica das coisas que recebe e aprende. Permita-se essa liberdade.

Não (se) julgar mais: isso é realmente possível?

Então, posso afirmar de minha parte que hoje não (me) julgo mais? Posso, consequentemente, lhe garantir que você também conseguirá extirpar completamente qualquer julgamento tóxico de sua vida? A honestidade e a sabedoria me forçam a dar aqui uma resposta mais complexa do que um simples “sim” categórico e prosélito.

Sim, para começar, a aplicação das ferramentas que apresento aqui me reconciliou comigo mesmo, permitiu que eu desenvolvesse um verdadeiro laço de respeito e de amor primeiro comigo mesmo e depois com os outros.

Sim, hoje gozo de uma qualidade de vida interna e externa que não tem mais nada a ver com o que foi há quinze ou vinte anos; os julgamentos em geral deram lugar à gratidão, à apreciação, à compreensão, ao amor e ao perdão.

Mas então posso dizer que estou permanentemente nesse estado? Que o juiz interior desapareceu definitivamente da minha vida? Isso seria presunção. O juiz ainda está lá, às vezes; mas, mesmo que ele ainda não tenha sumido totalmente, sua capacidade de me minar com seus julgamentos e sua aptidão em assumir e controlar minha vida derreteram como neve ao sol. Às vezes ele continua a resmungar, como os dois velhos do camarote dos Muppets, mas não apoio mais o que ele me diz, não acredito mais nele. Ele não está mais no comando (enfim, quase). E, consequentemente, a mudança interna foi considerável!

Assim como a coragem não é a ausência de medo, mas sim a capacidade de superá-lo, de não sucumbir a ele, a etapa decisiva que lhe posso garantir que conseguirá conquistar, caso se lance nessa aventura, é aquela em que você não sucumbirá mais a seus julgamentos tóxicos, em que seu juiz interior terá perdido seu trono, ficando somente com um papel secundário, cada vez menor.

Passada essa primeira dificuldade, você viverá em um estado de consciência extremamente diferente daquele que ainda é a norma hoje. Estará em paz consigo mesmo, da forma que você é. Você gostará da pessoa que é, em vez de julgá-la, e, consequentemente, seus julgamentos para com os outros também serão substituídos por amor, compaixão e compreensão. Você saberá perdoar.

Mas atenção: devo explicar que nem por isso você se tornará um capacho. Não julgar (no sentido em que eu defino nestas páginas) não é o mesmo que não ter discernimento nem firmeza, quando necessário.

Para além desse gargalo decisivo, como venho me esforçando para fazer, dia após dia, você poderá continuar com sua ascensão para a ausência completa de julgamento que alguns dizem ter conseguido, aparentemente. Depois de alcançar o acampamento-base, simbolicamente falando, você poderá pensar em alcançar o Everest.

Isso lhe parece tentador? Você se vê nesse ponto, tendo deixado para trás os áridos abismos do julgamento?

Então, vamos embarcar neste programa de 21 dias!

A regra do jogo

Para caminhar na direção do não julgamento, eu lhe proponho um percurso clássico de 21 dias. Você provavelmente já deve saber que 21 dias correspondem a um ciclo bem conhecido, para além do qual qualquer mudança que tenhamos iniciado durante esse tempo começa a criar raízes sólidas em nós. As coisas começam a ficar mais fáceis.

Vinte e um dias são três semanas, o que não é novidade nenhuma. E, em toda semana que se preze, há o tempo de trabalho e o tempo de descanso, e eu os levei em conta no programa que elaborei para você nas próximas páginas. Cada uma dessas três semanas comportará cinco dias de trabalho, ao longo dos quais lhe serão propostas diversas ferramentas, acompanhadas de um "fim de semana" com uma programação mais leve para o sábado e, sobretudo, descanso para o domingo. Descanso, mas não inatividade, como você poderá constatar.

Todo aprendizado implica erros, fracassos, vaciladas, o que é normal. Você não vai conseguir logo no primeiro dia acabar definitivamente com todos os seus julgamentos, a menos que ocorra um milagre.

Então eu lhe proponho a seguinte regra do jogo: de segunda-feira a sábado, anote em uma folha de papel (uma para cada dia) os julgamentos que lhe escaparem ao longo do dia. Se você não tiver tempo de fazê-lo na hora, reserve pelo menos um momento à noite para anotar todos aqueles dos quais você se lembrar. Não entre em detalhes, seja o mais breve possível. Esse processo de recapitulação, como se diz em certos ensinamentos, é útil para afinar sua consciência, pois não se pode mudar algo sobre o qual não se tenha consciência, em primeiro lugar.

Por fim, no domingo, pegue as folhas nas quais você anotou seus julgamentos da semana e queime-as conscientemente em uma lareira ou um forno a lenha, se você tiver, ou ainda fora de casa, o que for possível para você. Eu sei que essa exigência pode ser difícil, dependendo do lugar onde você vive, mas permita-me insistir, porque esse pequeno ritual cumprido a cada sete dias (três vezes durante o programa completo, portanto) é ao mesmo tempo importante e eficaz. É um momento à parte, um marco regular em seu caminho, e vale a pena tomar as providências para se dar esse tempo, encontrando o lugar adequado para tal.

Em várias tradições, o fogo tem um papel purificador. Além disso, você notará que podemos poluir a terra, podemos também poluir a água ou o ar, mas é impossível poluir o fogo; pelo contrário, é ele que permite despoluir ou purificar os três outros elementos. Ao queimar suas folhas, ao colocar fogo em seus julgamentos da semana, aproveite para imaginar que você está ao mesmo tempo se libertando desses julgamentos, que esse fogo purificador o está limpando desses elementos que "poluem" seus sentimentos e seus pensamentos, para poder começar a semana seguinte do zero.

O fogo é também um símbolo do amor que nos incendeia e nos consome; por isso, colocar fogo uma vez por semana em nossos julgamentos é uma maneira de ilustrar muito concretamente essa vitória do amor sobre os julgamentos, à qual aspiramos!

Por fim, o fogo carrega consigo uma bela lição. Sopre uma vela e você a apagará. Sopre uma fogueira e você a atiçará! O mesmo vale para nossa vida interna. No começo, a chama de nosso amor ainda é frágil e os julgamentos dos outros, assim como os nossos, podem facilmente apagá-la. Mas, com treinamento, chega um momento em que nosso fogo interno está intenso o suficiente e nossas brasas incandescentes o bastante para "colocar fogo em qualquer madeira", ou seja, para vencer todos os julgamentos que estariam soprando contra nós.

Assim como o vento, os julgamentos jamais desaparecerão totalmente de nossas vidas, sejam os dos outros, sejam talvez alguns dos nossos. Em compensação, o efeito que eles terão sobre nós não será mais o mesmo. Em vez de nos enfraquecer, se soubermos como enfrentá-los – e este livro deverá contribuir para isso –, eles acabarão nos fortalecendo.

Outra alternativa: se, no entanto, parecer complicado demais para você recorrer ao fogo (já não há mais lareiras em muitas casas nem fornos a lenha), se você vive longe demais de um lugar onde possa queimar em total tranquilidade seus papéis semanais, eis uma outra solução: recorte-os em pequenos pedaços, com estilete ou tesoura, imaginando que você está cortando assim seu apego ao julgamento. A palavra "decisão" tem a mesma raiz que "incisão": trata-se de amputar, cortar. Ao recortar suas folhas, você estará, assim, reforçando sua decisão de se libertar dos julgamentos. Em seguida, jogue-os na lixeira com consciência.

CHEGA DE
(SE) JULGAR!

1ª
SEMANA

É ASSUSTADOR PENSAR QUE ESSA COISA QUE AS PESSOAS TÊM DENTRO DE SI, O JULGAMENTO, NÃO É A JUSTIÇA. O JULGAMENTO É O RELATIVO. A JUSTIÇA É O ABSOLUTO. PENSE NA DIFERENÇA ENTRE UM JUIZ E UM JUSTO.

VICTOR HUGO

1º DIA

Eu julgo, tu julgas, ele/ela julga...

É impressionante o tempo que conseguimos dedicar em um único dia a julgar os outros e a nós mesmos, não acha? É quase um trabalho permanente. Se estamos andando na rua, pensamos: "Meu Deus, olha como essa mulher está vestida! E esse, que cara feia ele tem!", etc. Se você vê seu reflexo em uma vitrine ou um espelho: "Nossa, que cara a minha, cansada e com olheiras. E esse casaco não fica mais bem em mim, que tristeza", etc.

No trabalho, em casa, em todos os lugares, temos a impressão de que há em nós uma vozinha que passa seu tempo julgando todo mundo, sem nos esquecer de nós mesmos, é claro. Na verdade, é exatamente conosco que essa voz se mostra mais implacável: ela não deixa passar nada! Não importa o que a gente diga ou faça, essa voz logo enuncia seu veredito. Assim como você, eu sofri sua tirania diária durante anos, até mesmo décadas. Como eu me julguei!

Um juiz onipresente

Uma vez na idade adulta, a maioria de nós vive com um juiz interno dentro da cabeça, praticamente 24 horas por dia. Aliás, não somente um juiz como também um carrasco. Nós não nos contentamos em nos julgar permanentemente, mas também executamos escrupulosamente as sentenças: ficamos bravos com nós mesmos, nos culpamos, nos condenamos, nos xingamos, cutucamos inúmeras vezes a ferida dos erros passados. Somos implacáveis conosco!

O mais espantoso é que achamos isso normal. Durante todos esses anos em que me julguei por tudo e qualquer coisa, isso não me chocava, porque todos faziam o mesmo ao meu redor. Ao me julgar, eu só estava interiorizando os julgamentos feitos sobre mim pelos adultos que me cercavam (e que provavelmente também se julgavam), e então eu me conformava ao modelo dominante da sociedade. Eu julgo, tu julgas, ele julga!

Além disso, como não paramos de julgar os outros e a nós mesmos, por reflexo também acabamos passando grande parte do tempo temendo o julgamento do outro:

- O que ele/ela vai pensar de mim?
- O que estão dizendo a meu respeito?
- Se eu fizer isto ou aquilo, o que os outros vão pensar?

Quantas vezes não me torturei com essas perguntas! À nossa própria tirania interna vem se somar a – real ou suposta – opinião do outro, ou pelo menos aquilo que imaginamos que os outros possam dizer ou pensar de nós.

Que pesadelo!

E não é tudo. Como se não bastasse nos julgarmos durante o dia, em seguida passamos algumas horas em frente à TV vendo programas, séries ou filmes cujos protagonistas também não param de julgar uns aos outros, muitas vezes de maneira mais radical e excessiva do que nós mesmos já fazemos, como se para nos ajudar a forçar ainda mais a barra!

Mesmo os humoristas, com algumas poucas exceções, hoje muitas vezes fazem piadas julgando e ridicularizando os outros, de uma maneira que, a meu ver, é mais ironia do que um humor alegre, do bem. As pessoas riem sobre, riem de, mas raramente riem com.

Pessoalmente, esse tipo de humor não me faz mais rir hoje em dia. Prefiro um humor bondoso.

E qual seria o resultado de tudo isso?

A vida é um tribunal permanente. Passamos nosso tempo comparando e julgando uns aos outros. Estamos frequentemente em oposição ou em conflito com os outros, e ainda mais frequentemente com nós mesmos. Não somos felizes.

Sabia que a França está somente na 23ª posição no ranking da felicidade da ONU? A Dinamarca está em primeiro lugar, e Israel, apesar do contexto político e social, chega em 14º![1] É de fato difícil ser feliz quando se passa tanto tempo julgando o outro, julgando a si mesmo e temendo os julgamentos dos outros...

Por fim, também somos estressados; essa necessidade de estar à altura de nossos próprios julgamentos e dos julgamentos dos outros exerce sobre nós uma constante pressão que é desgastante e acaba tendo repercussões sobre nossa qualidade de vida e nosso estado de saúde.

Que situação!

Um dos pontos altos de meu caminho foi exatamente aquele em que percebi com todo o meu coração – e não compreendi apenas intelectualmente – esse estado patológico de julgamento permanente que é o nosso, especialmente sobre nós mesmos. Até então, eu tinha uma compreensão intelectual desse estado, eu sabia que julgava muito, mas não me havia realmente conscientizado com todo o meu coração e em toda a sua profundidade. Essa conscientização global foi um *insight*, uma virada definitiva. "Cada um de nós deveria ser seu melhor amigo, sua melhor amiga!", pensei. "Quem sabe

[1] Estes são os dados referentes ao ranking de 2012, no qual o Brasil ocupava a 17ª posição. No ranking de 2016, A França está em 32º lugar, Israel em 11º e o Brasil, em 17º. A Dinamarca continua em 1º lugar (ver www.worldhappiness.report). [N. do E.]

melhor do que eu por onde passei para ser quem eu sou hoje? Por quais dificuldades, quais traumas eu não passei? Mesmo quando eu me enganei lamentavelmente, quem além de mim sabe que intenções realmente me motivavam? Que eu não tinha a intenção de magoar o outro? Na verdade, deveríamos ter por nós mesmos o amor inabalável que uma mãe tem por seu filho", concluí. "Mesmo quando ele está na cadeia, ela continua o amando e o apoiando." Esse entendimento foi seguido de um abandono total do peso que eu carregava comigo, de um momento de perdão a mim mesmo e de profunda reconciliação. Eu lhes indicarei mais à frente no livro como seguir por esse caminho.

O diagnóstico antes da cura

E você? Tem consciência desse juiz interno, dessa voz dentro de si que passa o tempo submetendo a seu veredito tanto seus atos e suas palavras quanto os de todos ao seu redor? Você tem consciência, pelo menos em parte, já que está justamente lendo este livro. Mas, para motivá-lo a realmente seguir até o fim este "tratamento" (a cura de 21 dias que lhe é proposta aqui), é melhor começar estabelecendo um "diagnóstico" bem preciso.

Durante o primeiro dia deste programa de 21 dias, eu lhe proponho então que meça seu nível de vício em julgamento, anotando, em uma folha de papel que você guardará cuidadosamente, todas as vezes que:

- você julgar os outros: seus parentes próximos, seus filhos, sua família, seus amigos, colegas, personalidades políticas, celebridades diversas, etc.;
- você se julgar: seus pensamentos, suas emoções, seus sentimentos, sua aparência, suas reações, seus supostos defeitos, etc.

Para fazer esse trabalho da forma mais eficiente possível, use a tabela a seguir. Não se esqueça de que suas anotações lhe serão úteis no fim de semana para fazer o balanço de seu percurso (ver 7º dia, p. 45).

Quem eu julgo?	Quantas vezes?
Exemplos	
Meu patrão.	□
Minha mãe.	∟
Meu marido.	⧄|
Eu mesmo.	⧄ ⧄ ⧄ ⧄
Agora é sua vez!	

Reserve um tempo para refletir e faça a si mesmo as seguintes perguntas: como você se sente quando julga os outros e a si mesmo? Em qual estado interior isso o coloca? Reserve alguns instantes para se visualizar nesse estado e sentir o que isso lhe causa, no nível emocional, mental e físico.

Dessa forma você favorece o contato, a abertura, o compartilhamento, a compreensão? Ou isso o isola dos outros? Isso o coloca na defensiva, o endurece ou o afasta?

Mais uma vez, eu insisto! Reserve um tempo para anotar suas reflexões. Você verá que isso é importante para cumprir o desafio dos 21 dias!

Por outro lado, para completar seu diagnóstico pessoal por meio de uma avaliação mais global, você também pode anotar todas as vezes que, em seu círculo, alguém julgar os outros ou o julgar. Para isso, use novamente a tabela a seguir para organizar suas reflexões.

Quem julga quem?	Quantas vezes?
Exemplos	
Meu colega me julga.	⊏
Minha filha julga sua irmã.	∟
Meu marido julga nosso vizinho.	☐
Agora é sua vez!	

Mais uma vez, reflita e tome o cuidado de anotar: como você se sente quando ouve todos esses julgamentos em torno de você? O que isso faz com você? Que reações isso provoca em você no nível mental, emocional e físico?

Então, qual o seu diagnóstico ao fim de um dia? Impressionante, não?

É grave, doutor?

A boa notícia é que isso pode ser tratado, ou até, se você estiver disposto a se esforçar para tal, pode se curar quase que completamente. Sim, existe uma vida além do julgamento! Parece difícil de acreditar no começo, mas é possível.

Imagine por um instante como seria sua vida se o julgamento fosse aos poucos desaparecendo dela, como uma doença da qual você tivesse se curado. Como seria na sua casa, entre sua família, no trabalho?

O que você passaria a fazer que não fazia antes? O que mudaria?

Projete-se mentalmente por alguns instantes em uma vida isenta de julgamentos ou, em um primeiro momento, em uma vida na qual os julgamentos teriam perdido 95% de seu poder atual.

E então?

Pode ficar tranquilo, pois os próximos capítulos o ajudarão a operar aos poucos essa cura.

2º DIA

Aliás, por que nós julgamos?

É mais fácil mudar um hábito quando se entendem suas causas e motivações. Isso nos ajuda a desmontá-lo para poder substituí-lo por novos comportamentos, mais conformes com nossas escolhas conscientes. Pessoalmente, quando quero mudar algo em minha vida, gosto de associar a cabeça, o coração e o corpo. Em outras palavras, entender a situação atual, despertar o desejo de atingir outro estado e, por fim, ativar minha vontade e partir para a ação.

Mas então de onde vem esse hábito de estar sempre julgando tudo, seja os outros, seja a si mesmo?

Questão de hábito

No começo, fazemos por simples imitação, da mesma maneira que adquirimos nossos outros comportamentos: copiando nossos pais e os adultos que nos cercam. Todos nós fomos julgados por pessoas próximas desde a mais tenra idade: "Você é lerdo", "Como você é irritante!", "Você é tão desajeitado quanto seu pai!", "Você não tem coração", etc. Logo, começamos a fazer como eles, naturalmente.

Note que esses julgamentos não eram necessariamente mal-intencionados. Eles simplesmente faziam parte da maneira como a "gente grande" considerava certo nos criar. Eles provavelmente ignoravam esta máxima de Goethe que diz: "Ver um homem tal como ele é, é rebaixá-lo. Vê-lo tal como ele pode se tornar é elevá-lo".

Em outras palavras, o que Goethe está nos dizendo é: "Alimente o melhor que há de potencial no outro em vez de focar o que ele ainda não realizou, em suas deficiências atuais".

Por ouvir esses julgamentos da parte dos adultos que nos cercavam, acabamos os interiorizando, desenvolvendo um juiz dentro de nós, em nossa cabeça, que passou a assumir o controle. E com sucesso! É ele agora que se encarrega de nos lembrar a cada instante: "Como sou inútil!", "Que idiota eu sou!", "Nunca vou conseguir", etc. Analogamente, é ele também que julga todos os outros, seja para tentar melhorar nossa imagem para nós mesmos, ao nos comparar favoravelmente com o outro, seja para nos afundar ainda mais, ao nos julgar mais inúteis do que os outros.

Um parêntese deve ser feito: mesmo quando eu julgo o outro de forma negativa para me valorizar (penso que fulano "é um idiota" e assim me acho mais inteligente, declaro que beltrana "é muito feia!" e me julgo mais bonita do que ela, etc.), não estou desenvolvendo uma estima sadia de mim. Pois se o valor que me atribuo depende de comparações que estabeleço com os outros, as qualidades que encontro em mim serão sempre relativas, incertas e flutuantes. Não é muito tranquilizador... Por outro lado, se paro de (me) julgar, se desenvolvo uma relação verdadeira de amor com os outros, e sobretudo comigo mesmo, não é mais me comparando vantajosamente com o outro que construirei minha autoestima, mas simplesmente reconhecendo aquilo que eu sou, independentemente da opinião do outro.

Concluindo, eu julgo porque fui julgado. Eu julgo como eu mesmo fui julgado, da mesma maneira. Mas eis uma ótima notícia, uma notícia importante!

Por quê?

Porque isso significa que meus julgamentos não são meus julgamentos! Eles são só a cópia exata daqueles que os outros fizeram de mim. Na verdade, eles não me pertenciam. Prova disso é que, quando criança, eu não me julgava. Tive de aprender a me julgar, seguindo o exemplo dado pelas pessoas do meu convívio.

Essa percepção o ajudará a "dar a César o que é de César", como diz a máxima bíblica, ou seja, dar a seus pais ou a seus avós, e aos adultos que o cercavam no passado, seus próprios julgamentos em relação a você (que eles mesmos provavelmente herdaram da geração anterior).

A caminho do desapego

Eu ainda me lembro da primeira vez que comecei esse processo; devolvi à toda linhagem da qual eu vim os julgamentos que se transmitiram de geração em geração até a mim, e que não têm nada a ver comigo! Eu o fiz sem animosidade, sem rancor, chegando a reconhecer as intenções positivas que se exprimiam desajeitadamente por esses julgamentos.

Lembre-se

Não é com ódio e com ressentimento que você se liberta. Pelo contrário, isso cria ligações doentias. Você se liberta com consciência e com amor.

Esse processo de desapego dos julgamentos não se limita a nossos pais, aliás. Quando criança, eu também interiorizei julgamentos próprios da terra onde cresci, contra outras nacionalidades, por exemplo. Provavelmente interiorizei os julgamentos da classe social à qual eu pertencia sobre as outras classes sociais. Talvez eu tenha interiorizado os julgamentos da religião na qual fui criado sobre as outras religiões, ou os do partido político que meus pais seguiam em relação às outras tendências políticas. Nada disso era realmente meu! Eu simplesmente absorvi esses julgamentos por osmose.

É justo levantar a pergunta: tenho vontade de manter esses julgamentos, hoje, agora que sou adulto? Por acaso eles me deixam feliz, realizado? Ou eles, na verdade, intoxicam minha existência? Tenho vontade de transmiti-los a meus filhos e às gerações futuras? Ou prefiro que a cadeia de julgamentos se interrompa em mim?

QUEBRE A CORRENTE DE JULGAMENTOS

PARA ESTE SEGUNDO DIA, EU LHE PROPONHO ENTÃO O SEGUINTE EXERCÍCIO: ONTEM, VOCÊ DEVIA SIMPLESMENTE PERCEBER TODAS AS VEZES QUE HAVIA ACABADO DE JULGAR. HOJE, A CADA JULGAMENTO QUE VOCÊ SE SURPREENDER EMITINDO, EU O CONVIDO PRIMEIRAMENTE A ANOTÁ-LO, E EM SEGUIDA PERGUNTAR-SE DE ONDE ELE VEM: DE SEUS PAIS, DE SUA FAMÍLIA, DE SEU PAÍS, DE SUA RELIGIÃO? PERGUNTE A SI MESMO A CADA VEZ SE ESSE JULGAMENTO É REALMENTE SEU, E PERCEBA O QUE ELE PROVOCA EM VOCÊ EM TERMOS DE SENTIMENTOS, PENSAMENTOS E ESTADO INTERIOR. E SE VOCÊ ESTIVER DISPOSTO A ROMPER ESSA CORRENTE DE JULGAMENTOS, TRANSMITIDA DE GERAÇÃO PARA GERAÇÃO, EU LHE SUGIRO QUE A "DEVOLVA AO REMETENTE", OU SEJA, A RESTITUA ÀS GERAÇÕES ANTERIORES, COMO VOCÊ DEVOLVERIA UM OBJETO QUE LHE FOI LEGADO, MAS DO QUAL VOCÊ NÃO FAZ QUESTÃO.

A METÁFORA DA ÁRVORE

RESERVE UM TEMPO PARA REALIZAR ESTE EXERCÍCIO EM UMA FOLHA DE PAPEL QUE VOCÊ GUARDARÁ COM CUIDADO (COMO VOCÊ GUARDOU A DE ONTEM). IMAGINE QUE VOCÊ É UMA ÁRVORE. SUAS RAÍZES, EM FORMA DE PIRÂMIDE, REPRESENTAM TODOS OS SEUS ANCESTRAIS. VOCÊ É O JOVEM BROTO, O TRONCO QUE EMERGE DO CHÃO. (OBSERVAÇÃO: AS ÁRVORES GENEALÓGICAS

são representadas erroneamente ao contrário, o que faz com que todo o peso das gerações passadas se apoie em nossos ombros. Na verdade, nossos ancestrais são as nossas raízes, eles estão abaixo de nós, e nós somos o broto superior, a parte mais alta dessa rede subterrânea.)

Em seguida, imagine que você está devolvendo para as profundezas do solo, através dessas raízes que começam com seus pais, todos os julgamentos que você não quer mais. Você os confia à terra, à sua ação transformadora que sabe fazer flores e frutos a partir de todos os resíduos.

Ao mesmo tempo, imagine que através de seus galhos, simbolicamente falando, ou seja, através daquilo que o liga ao sol (símbolo da vida e do amor), você envia para baixo uma energia de cura que vem colocar o amor-próprio onde antes havia autojulgamento. Como em vasos comunicantes, ao mesmo tempo que devolve antigos julgamentos para suas raízes, você puxa através de seus ramos uma seiva reparadora, solar, que vem restaurar em você o amor e a unidade de seu ser.

Faça esse breve exercício a cada vez que se surpreender repetindo automaticamente (contra os outros ou contra si mesmo) um antigo julgamento que você tenha herdado. Dessa forma, irá aos poucos inverter o curso das coisas em você. Em vez de a seiva subir inconscientemente das raízes para seu tronco, e de você reproduzir mecanicamente os comportamentos das gerações passadas, você irá puxar conscientemente uma nova seiva (mais consciência, mais amor, mais compreensão) e enviá-la tronco abaixo até suas raízes, para onde você devolverá os julgamentos antigos.

Faça esse exercício uma vez, duas vezes, dez vezes, vinte vezes, e chegará o momento em que você terá adquirido um novo hábito, um reflexo de consciência e de escolha. Faça de cada julgamento que se manifesta em você a oportunidade de uma pausa de atenção plena:

"Ah, estou julgando!" E logo depois transforme esse julgamento com o exercício mencionado anteriormente. Seus julgamentos se tornarão presentes, bênçãos, pois servirão para desencadear uma percepção e um trabalho de transformação alquímica de seus antigos julgamentos em um amor maior e um maior respeito por si e pelos outros.

Aprendi com Don Miguel Ruiz[1] que no México antigo o jaguar simbolizava a atenção, a consciência: assim como esse felino salta sobre sua presa, nossa consciência precisa desenvolver a capacidade de nos pegar no pulo cada vez que julgamos, que pensamos ou que agimos de uma maneira contrária àquela que desejamos, se quisermos conseguir mudar e nos transformar. Desde então, o jaguar vem me acompanhando no dia a dia para inserir mais consciência em minha vida. Então, se esse símbolo da consciência lhe diz algo, eu o convido também a recorrer a esse aliado em seu caminho para se libertar dos julgamentos!

[1] Autor dos *best-sellers Les quatre accords toltèques* [*Os quatro compromissos: o livro da filosofia tolteca*] e *La maîtrise de l'amour* [*O domínio do amor*] (ver bibliografia).

3º DIA

Eu julgo quem... ou o quê?

Aliás, quando nós julgamos, o que exatamente estamos julgando? Comportamentos, ações, reações? Ou o indivíduo, a própria pessoa que agiu?

Você já se fez essa pergunta?

Falando por mim, eu me dei conta há alguns anos de que, assim como provavelmente a maior parte de vocês, eu de fato tinha tendência a julgar pessoas, de forma geral. Eu não dissociava o ato do indivíduo que o cometia. Pelo contrário, eu o identificava com aquilo que ele havia feito, chegando a reduzi-lo a seu gesto.

Ao fazer isso, eu me atinha a esses comportamentos que se desenvolvem quando se é criança: "Minha mãe é malvada!", como se diz nessa idade, em vez de isolar a coisa específica que ela disse ou fez que nos desagradou. A criança em mim tende a reduzir o outro àquilo que ele acaba de dizer ou de fazer. E não é só: ela também tem uma visão binária das pessoas, em preto e branco. "Ela é legal. Ele é malvado. Fulano é genial. Beltrano é um idiota."

Complexidade? Nuances? Tons de cinza? Sei lá o que é isso!

Esses comportamentos infantis infelizmente continuam muito presentes em nosso mundo adulto. Veja o que se passa na política, por exemplo: quantas vezes não é o político que julgamos e atacamos diretamente, em vez de uma de suas declarações ou de seus atos?

O cinema também nos ofereceu muitos personagens como uma coisa só: ou totalmente bons ou totalmente maus (sobretudo nos desenhos animados infantis), ainda que há alguns anos estejamos vendo com mais frequência personagens de aspectos mais complexos.

É claro que, se minha criança interior tem tendência a julgar as pessoas e não seus atos, é porque ela mesma sofreu isso por parte dos adultos (que, por sua vez, também sofreram isso quando crianças, e assim por diante). "Você é um idiota... um desastrado... uma egoísta... uma besta... um maricas... um pretensioso... um covarde... uma indecisa..."

Quem nunca foi alvo de tais julgamentos por pessoas de seu convívio durante a infância? Quem nunca foi rotulado em função de determinados atos ou fraquezas?

Como me julgaram como uma coisa só, minha criança interior tem a mesma propensão a julgar os outros, e a si, da mesma maneira, sem dó.

Separar os atos da pessoa

Uma etapa decisiva que você pode atravessar em sua emancipação dos julgamentos consiste em aprender claramente a separar a pessoa dos atos que ela comete ou das declarações que ela emite. Nada é totalmente preto ou totalmente branco, salvo nos contos e nos mitos (cujos personagens são somente os símbolos de diversas partes de nós mesmos, como as diferentes facetas de um diamante). O melhor dos seres pode fazer coisas muito feias. O pior dos indivíduos pode realizar ações magníficas. Cada um de nós carrega consigo ao mesmo tempo luz e sombra.

Então, fui aos poucos aprendendo a conseguir simultaneamente desaprovar ou até condenar determinado ato ou declaração, sem para isso julgar a pessoa como um todo, a distinguir aquilo

que ela é fundamentalmente daquilo que ela fez pontualmente. A começar por mim: aquilo que sou, no nível mais profundo, no mais essencial, não se reduz a determinados comportamentos, falas ou atos meus. Sim, posso ficar descontente com aquilo que fiz, desejar melhorar, mas sem para isso negar, julgar ou condenar quem eu sou como um todo. E, consequentemente, quanto mais consigo operar em mim essa distinção entre meu ser essencial e meus atos (que às vezes não obedecem ao que aspiro de melhor), mais conseguirei fazer o mesmo pelos outros, não os limitando ao pior que às vezes eles exprimem, não os fechando em seus comportamentos menos brilhantes, não alimentando e reforçando sua parte da sombra e não vendo somente isso neles, o que é o mais importante.

Na verdade, essa distinção nós já sabemos operar. A maior parte de nós já fez isso, aliás. Com uma criancinha, por exemplo: quando ela tropeça, cai ou derruba alguma coisa, nós não a reduzimos a um desses gestos, só vemos ali uma falta de jeito ligada à sua pouca idade e à sua inexperiência. O mesmo vale para as pessoas que nos são caras: para além de determinada fala ou comportamento infeliz que elas possam ter, muitas vezes continuamos vendo o ente querido.

Por que não nos baseamos nessa experiência conhecida, ainda que restrita, para estendê-la a nossas outras interações, a nossas relações com pessoas menos próximas?

É uma escolha que podemos fazer, uma escolha que se baseia em uma determinada visão do ser humano que é encontrada na maior parte das tradições espirituais: a ideia de que existe em nós uma parte de luz (que pode ser chamada de espírito, sopro, alma) que se manifesta através de nosso corpo, com níveis variados de sucesso. Assim, por trás do comportamento negativo, por trás do ato que fere, existe um ser que (assim como o bebê que derruba o copo) ainda exprime de forma desajeitada o potencial que ele carrega em si. Essa visão, que optei pessoalmente por adotar, me permite lamentar ou condenar um ato, sem condenar o ser em si como um todo.

A alternativa seria acreditar que existem pessoas que são intrinsicamente e definitivamente más, o que deixa pouca margem para aprender a não julgar! De minha parte, prefiro deixar as bruxas malvadas e as fadas boazinhas nos contos e nas lendas, e adotar a visão de que algo de grande e luminoso em nós tenta se manifestar com graus variados de sucesso e de constância. E que, ao não julgar, ao continuar apostando nessa parte de cada um, eu também a alimento tanto em mim quanto no outro.

Praticar aos poucos

Uma vez que o que nos interessa aqui é exatamente conseguir colocar em prática essas ideias, o não julgamento se parece com qualquer esporte ou arte marcial. Não se levantam cem quilos em seu primeiro treinamento de halterofilismo. Não se derrotam quatro adversários ao mesmo tempo em sua primeira aula de caratê. É preciso começar pequeno, aos poucos, e na medida em que você for desenvolvendo seus "músculos", se fortalecendo e adquirindo mais habilidade, conseguirá enfrentar desafios ou adversários maiores.

Se, ao fim deste capítulo, você tentar imediatamente separar o ser Hitler em relação aos atos que ele cometeu, provavelmente não vai conseguir! Então, treine para começar com as situações mais triviais da vida cotidiana: são essas que lhe permitirão desenvolver e reforçar sua capacidade de não (se) julgar, até que esta possa progressivamente se aplicar a casos e a pessoas com maior abrangência.

É como se, quando você estivesse assistindo à televisão, tivesse consciência de que o programa vem de longe, da sede em que se encontra a emissora. Ainda que você tenha um aparelho antigo em preto e branco, ainda que o som não esteja em estéreo, você

sabe distinguir a qualidade da imagem e do som que aparece em sua casa, em seu aparelho, daquela que é emitida em ondas partindo da emissora. Ao trocar seu antigo aparelho por um com tela de plasma de última geração (com 3-D ainda por cima, por que não?), você de repente verá os mesmos programas com uma qualidade dez vezes melhor.

Distinguir os atos e as falas (a televisão) da pessoa que os emite (a emissora) é mais ou menos a mesma coisa. Por trás do comportamento que eu observo, por trás das palavras que me são dirigidas, continuo distinguindo um ser que é melhor do que isso, que (ainda) não exprime o melhor daquilo que ele é potencialmente capaz.

Separe o ato ou a fala da pessoa

Para este terceiro dia, eu lhe proponho mais um exercício, uma outra maneira de avançar na direção do não julgamento.

Em sua casa, no escritório, em qualquer lugar, a qualquer momento, esteja à espreita dos atos e das palavras que você considera negativos, que o agridem. Mesmo pequenas coisinhas, um comentário aqui, um comportamento ali. Em vez de querer evitá-los, negá-los ou fingir que não viu ou ouviu nada, cace-os! E, assim que você detectar algum, veja ali uma bênção, uma bela ocasião trivial de se treinar em distinguir os atos (ou as falas) da própria pessoa.

Por aquilo que lhe dizem, por tal comportamento, esforce-se logo para distinguir o indivíduo, o ser humano em toda a sua riqueza e todo o seu potencial, para além do pouco (ou do pior) que ele permite entrever nesse instante.

- Uma pessoa o insulta no trânsito? Ela não é o seu insulto. Desaprove sua grosseria se quiser, mas não se atenha a isso, não se fixe nisso, passe por cima até discernir o ser completo (talvez estressado) que está por trás.

- Alguém lhe fez uma desfeita no trabalho? Ele não é esse comportamento medíocre. Condene o ato, tome as medidas necessárias, mas não deixe seu coração englobar sem discernimento esse ato, essa pessoa, sua família, as "pessoas de sua espécie", e assim por diante!

Atenção: voltaremos a isso mais adiante (ver p. 80), mas observe desde agora que não (se) julgar não significa se tornar um fraco, um molenga, um bobão ou um covarde. O não julgamento não é o não discernimento. Mesmo sem julgar, podemos demonstrar firmeza ou até recorrer à justiça. No mesmo espírito, um de meus amigos tem esta frase expressiva: "Eu perdoo tudo... mas não deixo nada passar!".

Lembre-se

Todo novo hábito que você se esforça para desenvolver parece no início totalmente artificial. "Não é natural!", alguns ficariam tentados a dizer a respeito dos exercícios propostos. De fato, mas o hábito é uma segunda natureza, justamente. Sua natureza atual é o resultado de hábitos adotados na infância que não lhe eram nada naturais. Então, pratique esses exercícios regularmente, alternando-os, trocando-os e voltando a eles, e em breve eles se tornarão tão naturais quanto as dezenas de outros antigos hábitos!

4º DIA

Autópsia de um julgamento

E eis que há mais de três dias estamos avançando no caminho do não julgamento. Mas, afinal, o que é exatamente um julgamento? Tem certeza de que você sabe?

Na prática, já venho constatando há muito tempo que reina uma grande confusão a esse respeito. "Julgamento" faz parte dessas palavras que muitos de nós utilizamos sem ter uma definição precisa, nem a mesma compreensão geral. Então me parece necessário fazer aqui a autópsia dessa palavra e lhe dar a definição que será adotada ao longo deste livro. Pelo mesmo motivo, essa será para mim a oportunidade para explicar o que não são o julgamento e o não julgamento. Para esclarecer um conceito, nada como colocar em evidência seus limites ou até mesmo o seu oposto!

Tentativa de definição

Então, o que seria um julgamento, no sentido em que o entendemos aqui?

É uma mistura de observações, de emoções e às vezes de intenções que atribuímos aos outros. São reunidos dados objetivos, apreciações subjetivas, projeções, componentes mentais e afetivos... uma verdadeira bagunça!

Para simplificar, se eu vejo aquilo que se passa em mim quando eu julgo, constato que se misturam minhas duas polaridades internas: o intelecto e o coração. Minha mente começa a olhar objetivamente para as coisas.

Exemplos:

- ele é baixo;
- ela é gordinha;
- elas têm a pele negra;
- eles chegaram atrasados;
- ele a deixou;
- etc.

Mas as coisas não param por aí. Meu coração e meu afeto também entram na história, e, a partir daquilo que foi observado de forma objetiva, atrelam um sentimento negativo a essa observação.

Exemplos:

- ele é baixo, que ridículo!;
- ela é gordinha, que feia!;
- elas têm a pele negra, é preocupante...;
- eles chegaram atrasados, estou furioso!;
- ele a deixou, que tristeza;
- etc.

Por fim, um terceiro componente às vezes faz com que minha mente intervenha novamente. Baseado no que sinto, faço suposições quanto ao que motiva aquilo que observei, e projeto sobre isso minhas próprias motivações.

Exemplos:

- eles chegaram atrasados, estou furioso, eles não têm nenhum respeito por mim!;
- ele a deixou, que tristeza, ele só pensa nele!

Por acaso eu realmente sei por que eles chegaram atrasados?

Eu sequer lhes perguntei?

Por acaso eu sei realmente por que ele a deixou? Ou estou fazendo meu roteiro sozinho dentro da minha cabeça?

A realidade, muitas vezes, é que eu não sei nada: eu suponho, imagino, atribuo intenções ao outro, projeto sobre ele minhas motivações, escolhendo em geral as mais sombrias. Estou na virtualidade de minha mente, alimentado por minhas emoções (não estou no real, no verdadeiro).

No julgamento, vemos a cabeça influenciando o coração, que por sua vez influencia a cabeça, e é assim que, partindo de uma observação objetiva, nossos pensamentos e nossos sentimentos tecem uma interpretação que muitas vezes não tem mais nada a ver com a realidade, e que nos fecha em um verdadeiro casulo psíquico que nos isola do real.

Não confunda julgamento com discernimento

Como sair disso? Como evitar julgar dessa maneira, aliando inconscientemente seu intelecto e seu coração?

Aprendendo a discernir claramente, e depois a separar o que se passa dentro de sua cabeça (mental) e dentro de seu coração (afetivo). Aprendendo, portanto, a dissociar a observação objetiva de fatos ou de pessoas, de sentimentos que ela possa suscitar em você, e também não deixando que suas emoções o levem a atribuir intenções negativas ao outro.

Lembre-se

O objetivo é abrir mão do julgamento, enquanto se conserva seu discernimento.

Mas atenção! Ao querer desenvolver o não julgamento mal compreendido, você corre o risco de cair no não discernimento, como se observa com frequência. É o caso, por exemplo, dos círculos de desenvolvimento pessoal e de espiritualidade que conheço bem: hoje, a palavra de ordem de não julgar se disseminou tanto neles que, por medo de cair no julgamento, algumas pessoas acabam nem mesmo ousando mostrar discernimento. A lógica subjacente aparentemente é a seguinte: se julgar é discernir as características objetivas das pessoas e acrescentar a isso sentimentos negativos, então, ao renunciar a qualquer discernimento, você não tem mais nada sobre o que projetar emoções negativas, ficando em uma névoa de indiferenciação. Consequentemente, algumas pessoas se recusam a ver as diferenças objetivas que existem entre as pessoas, entre as situações ou as coisas. "Tudo é igual", "tudo tem o mesmo valor", afirma essa tirania da igualdade mal compreendida, que visa ao não julgamento, mas nunca o atinge de verdade.

Isso me lembra a história de um motorista de ônibus do Kentucky. Todas as manhãs, os alunos negros e brancos se insultavam violentamente: "Negro maldito!", "Branco maldito!". Depois eles se batiam. Uma manhã, com os nervos à flor da pele, o motorista puxou o freio de seu ônibus e obrigou todos a descer. "Ouçam bem!", ele disse. "Já chega! A partir de agora, não tem mais preto nem branco. Vocês são todos azuis. Azuis, entenderam? Bom, então entrem de volta no ônibus: os azuis-escuros atrás, os azuis-claros na frente!"

Negar as diferenças, como nossa época se especializou em fazer, não resolve nada. Não se aprende a amar borrando a realidade, nem a pintando de rosa ou de azul. O verdadeiro desafio é ver a realidade em todas as suas nuances, suas diferenças e suas desigualdades, e amá-la tal como ela é, discernir sem julgar, amar as pessoas tal como elas são (ou tal como elas podem se tornar, como sugeria Goethe).

Então, sim ao não julgamento, mas não ao não discernimento!

Mental *versus* afetivo

Para isso, eu o convido a desenvolver a capacidade de diferenciar claramente em você o objetivo do subjetivo, o mental do afetivo, e a saber utilizar bem os dois, que são igualmente importantes. Com o tempo, você conquistará um intelecto e um coração autônomos e independentes. Seus pensamentos não serão sistematicamente manchados e deformados por seus sentimentos. E seus sentimentos também não serão negados, nem racionalizados por seu intelecto. Por um lado, você terá uma capacidade de observação e de análise tão clara e certa quanto possível; do outro, você terá uma verdadeira capacidade de sentir as coisas e de ouvir atentamente seus sentimentos.[1]

Graças a essa independência da cabeça e do coração, quando este último é inundado pela emoção, a cabeça consegue permanecer "fora da água"; já quando é a cabeça que está desorientada e não consegue ver com mais clareza, é o coração que conserva sua capacidade de ouvir atentamente seu sentimento. Aliás, segundo uma interpretação com a qual me identifico, é isso que quis dizer o mandamento bíblico de "oferecer a outra face" quando se leva um tapa na primeira: recorrer à outra polaridade em nós. A cabeça e o coração são de certa forma nosso casal homem-mulher interno.

DISCERNIR SEM JULGAR

ENTÃO, PEGUEM SEUS BISTURIS! AGORA CABE A VOCÊ APRENDER A DISSECAR AQUILO QUE ACONTECE COM VOCÊ AO JULGAR. A IDEIA É CONSEGUIR DISTINGUIR O JULGAMENTO DO DISCERNIMENTO. FALANDO NA PRÁTICA, O EXERCÍCIO QUE EU LHE PROPONHO HOJE CONSISTIRÁ – QUANDO

[1] A comunicação não violenta (CNV) desenvolvida por Marshall Rosenberg é uma das ferramentas que permitem aprender a fazer essa distinção entre aquilo que se observa e os sentimentos que isso provoca em nós (ligados a necessidades e valores satisfeitos ou não).

você se flagrar julgando (por exemplo, a respeito de um colega no trabalho: "Ele é um bagunceiro!") – em fazer uma pausa para separar os componentes desse julgamento:

- Comece enunciando claramente os fatos, a realidade objetiva tal como ela se apresenta a seus olhos: "Sua mesa está em desordem. Há papéis jogados por toda parte, inclusive no chão. Tem até mesmo pertences pessoais e restos de comida".
- Em seguida, identifique os sentimentos ou as emoções que você sente: "Estou irritado" ou "Estou com raiva", ou ainda "Estou triste, desanimado, desgostoso".
- Depois, observe como suas emoções (suas emoções são suas, nem todo mundo tem as mesmas diante da mesma situação) agem como lentes de óculos coloridas: elas deformam sua visão dessa pessoa que lhe parece "bagunceira".
- Por fim, o truque final! Identifique em você que necessidade ou qual valor não é atendido ou é desprezado pelo comportamento de seu colega. A ordem? A limpeza? A harmonia? A atenção com o outro? Alguma outra coisa?

A ilusão que todos nós temos no começo é de que nossas emoções se devem àquilo que os outros fazem. "Você me deixa furioso!", "Você me dá nojo!", "Você me entristece". Na verdade, nossa emoção se deve à distância entre aquilo que os outros fazem e nossas próprias necessidades, valores ou expectativas. Há uma diferença! É como com o fogo: é preciso um combustível (madeira, por exemplo) e um comburente (ar). Sem ar não há fogo. Sem madeira, também não. É preciso ter os dois. Também não há emoção sem esse encontro entre uma realidade externa e nossas expectativas e necessidades internas. A mesa "caótica" de seu colega não irrita todo mundo, por exemplo: algumas pessoas não ligam, outras dão risada porque elas não têm as mesmas necessidades ou os mesmos valores que você. Quanto a seu famoso colega, considerando as expectativas dele, você provavelmente lhe parece um maníaco! Já havia pensado nisso?

O que é real nesse exemplo é a diferença entre a ordem da mesa de seu colega e a da sua, ou o ideal de arrumação ao qual você

aspira. Isso é objetivo, é o que o discernimento permite constatar. O que também é real são suas emoções: irritação, tristeza, raiva... Mas o julgamento "bagunceiro" que resulta da mistura dos dois e da ligação de causa-efeito que você imagina entre eles não tem nada de real: é uma ilusão, uma projeção de suas emoções. É uma explicação baseada em seu comportamento, a partir de um ponto de vista parcial e relativo (o seu). É isso o que essa dissecção coloca em evidência.

Ao dissecar cada um de seus julgamentos dessa maneira, você aos poucos deixará de fazer confusão e compreenderá melhor o que pertence a você e o que pertence ao outro.

Ainda hoje, recomendo que você reserve um tempo para refletir e fazer esse exercício por escrito. Use a tabela a seguir para anotar seus julgamentos e guarde-a com cuidado, pois ela lhe será útil depois.

Meu julgamento inicial	O que o discernimento mostra	
	Os fatos	Minhas emoções
Exemplos		
Ele é bagunceiro.	Sua mesa é uma bagunça.	Raiva.
Ela é uma vadia!	Ela tem um comportamento sedutor e agrada aos homens.	Inveja.
Agora é sua vez!		

Lembre-se

No começo, essa dissecção de seus julgamentos provavelmente lhe parecerá difícil, ou até artificial. É normal. Estamos tão acostumados a misturar tudo, a agir bruscamente, que mostrar tal discernimento requer um certo esforço no começo. Mas com treinamento isso se torna mais fácil, mais simples. Como recompensa, cada um de seus julgamentos ensinará algo sobre você!

Tudo o que me irrita, me entristece, me alegra, me enfurece ou me enoja permite que eu conheça melhor meus valores, minhas necessidades, minhas expectativas. Em vez de projetar meu estado emocional sobre o outro, posso aceitar minhas emoções, descobrir o que elas ensinam sobre mim, aprender a melhor identificar e exprimir minhas necessidades, e reconhecer que os outros nem sempre atendem a minhas expectativas e que eles têm seus próprios valores e necessidades.

"Quando você sente dor nos pés", sugere um provérbio japonês do qual gosto muito, "você pode escolher entre recobrir toda a terra de couro... ou usar sapatos!". Em outras palavras, ou você passa seu tempo querendo mudar os outros – e se você for como eu, já deve ter constatado o quão pouco eficaz isso é – ou você concentra seus esforços em si mesmo, em sua maneira de funcionar, de julgar, de se deixar levar, até o dia em que os mesmos comportamentos externos não provocarão mais as mesmas reações em você. Além disso, como você não reagirá mais negativamente da mesma forma que antes, constatará que suas demandas em relação aos outros serão mais ouvidas e consideradas!

Não se esqueça de que o objetivo deste livro é não somente conseguir aos poucos deixar de julgar os outros, mas também, e acima de tudo, a si mesmo. Então, não se julgue se não conseguir imediatamente colocar em prática os exercícios propostos, a cada instante. Seja indulgente consigo mesmo! Seria o cúmulo se julgar porque você ainda não consegue deixar de julgar!

5º DIA

“Uma subida é uma descida vista de baixo”

Quando eu era criança, meu pai costumava citar esta frase que ele ouvia de seu próprio pai: “Uma subida é uma descida vista de baixo”. Na época eu achava engraçado! Foi só mais tarde que entendi a sabedoria que se escondia por trás dessa afirmação. “Subida” e “descida” são os dois nomes que se dão a uma única e mesma coisa: uma inclinação. E o que nos faz escolher um ou outro desses dois termos para classificar essa inclinação? O ponto de vista pelo qual ela é observada: do alto, é uma descida, de baixo, é uma subida.

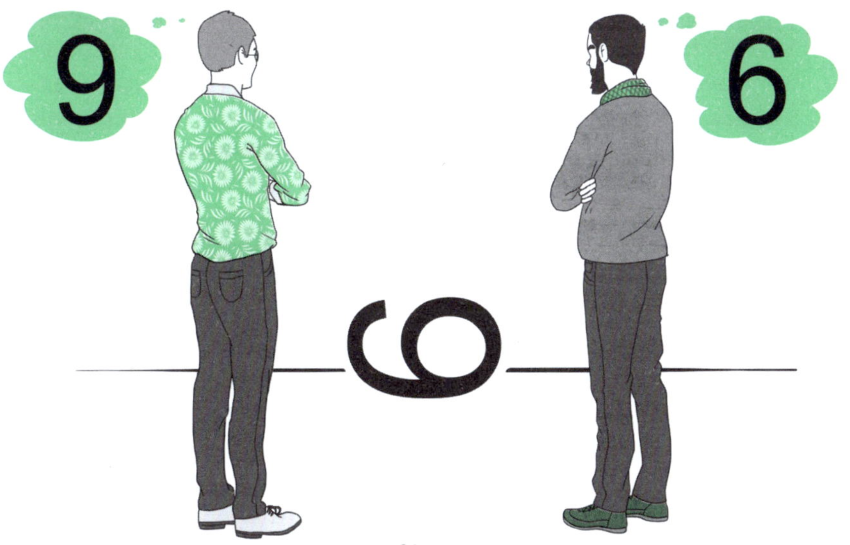

Da mesma maneira, se eu me encontro do lado de dentro de uma parede de vidro e você do lado de fora, eu a considerarei côncava, ao passo que ela lhe parecerá convexa, duas maneiras diferentes de apreciar o fato de que ela é abaulada. Mais uma vez, nossa apreciação e nosso julgamento dependem de nossos respectivos pontos de vista.

Questão de ponto de vista

Curiosamente, essa distinção entre um julgamento (ou uma opinião) e um ponto de vista não faz parte das coisas que nos ensinaram na escola. A maioria de nós, aliás, acaba confundindo e utilizando de forma indiferenciada esses termos, como se tratassem da mesma coisa.

Para melhor ressaltar a diferença entre os dois, imagine que alguém emita um julgamento muito negativo sobre você: "Que completo idiota!", "Que mulher imbecil!". Que efeito esse julgamento terá sobre você? Você não pode saber. Por quê? Porque isso vai depender inteiramente de quem vai pronunciá-lo. Se for a opinião de alguém por quem você não tem nenhuma estima, talvez você ria disso ("Ser chamado de idiota por um imbecil", ironizava o escritor francês Georges Courteline, "é um deleite de raro bom gosto"). Se for uma pessoa que você nem mesmo conhece, talvez isso não o afete em nada. Em compensação, se for uma figura de autoridade, alguém que você respeite muito ou um amigo próximo, você pode ficar muito ofendido, com raiva ou profundamente triste.

Então, não é a opinião ou o julgamento expresso em si que o atinge, que o magoa ou que lhe é indiferente. O que confere ou não um impacto sobre você é, na verdade, o ponto de vista do qual ele emana, ou seja, da pessoa que o exprime. Uma opinião que venha de um ponto de vista estreito, limitado, insignificante terá pouco ou nenhum impacto sobre você. Em compensação, uma opinião emitida de um ponto de vista elevado, pertinente, esclarecido pode afetá-lo muito mais.

Aliás, é possível notar que essa distinção ressalta a inutilidade da maior parte dos comentários e das opiniões emitidos na internet, ainda mais quando se usa um pseudônimo: como saber de que ponto de vista emanam essas opiniões anônimas e, portanto, se elas têm qualquer chance de corresponderem à nossa própria visão das coisas, a nossos próprios valores?

Os julgamentos que eu exprimo, assim como aqueles que são dirigidos contra mim, sempre são reflexos de um ponto de vista bem específico. Aquele que me acha inútil e patético está me indicando que provavelmente me olha do alto. Aquele que me acha genial e formidável, que me coloca em um pedestal, também me informa que ele se posiciona bem abaixo, que talvez se ache inútil. Se eu me conheço bem, os respectivos julgamentos dos outros afinal me ensinarão mais sobre eles do que sobre mim!

Então, lembre-se de que todo julgamento corresponde a um ponto de vista específico, e que todo ponto de vista é necessariamente relativo. Um cavalo que olha um coelho o considera minúsculo; uma formiga que ergue os olhos para esse mesmo coelho o acha gigantesco, mas o coelho continua sendo o mesmo nos dois casos. Ele é o que é. Esses julgamentos não têm mais efeito sobre ele do que um holofote apontado para uma estátua do alto, de baixo, à direita ou à esquerda, que a cada vez enfatizaria diversas facetas e projetaria diferentes sombras: a estátua continuaria sendo exatamente o que ela é, independentemente da iluminação à qual ela fosse submetida.

Considerar um julgamento que é dirigido a nós como uma simples iluminação relativa, projetada sobre nós a partir de determinado ponto de vista, diminui muito o impacto que ele poderia ter sobre nós.

Da mesma maneira, considerar nossos próprios julgamentos como a iluminação que projetamos sobre os outros, de nosso ponto de vista, relativiza o valor absoluto que estaríamos tentados a lhes atribuir.

Não sejamos mais ciclopes!

Agora vamos mais longe.

"Subida" e "descida" para uma mesma inclinação, "convexo" e "côncavo" para uma mesma parede abaulada: em ambos os casos, são necessários dois pontos de vista diferentes (ou até opostos) para começar a distinguir em seu todo a verdadeira natureza daquilo que é observado.

Que conclusão útil nós podemos tirar disso?

Nós precisamos de dois olhos para ver em profundidade (tente dirigir seu carro fechando um olho:[1] você perderá qualquer senso de profundidade!). Da mesma forma, você precisa de dois ouvidos para ouvir em estéreo: com um só, perdemos qualquer profundidade musical. Mas, curiosamente, a tendência é querer se contentar com um único ponto de vista sobre as pessoas e as coisas para forjar um julgamento confiável!

Com um único ponto de vista, nós só emitimos julgamentos de ciclopes, só vemos as coisas com um olho, sob um único ângulo, necessariamente relativo, necessariamente incompleto. Nós somos como um iluminador que apontaria um único holofote para um objeto que teria toda uma metade na sombra. É preciso pelo menos duas fontes de luz para começar a distinguir o objeto em sua totalidade, ou até três ou quatro fontes de luz e alguns refletores para discernir todos os seus detalhes.

---

[1] Pensando bem, não tente fazer isso! É perigoso demais!

Durante o ano que passei nos Estados Unidos quando tinha 17 anos de idade, toda vez que alguém emitia um julgamento negativo sobre uma pessoa, minha "mãe" norte-americana dizia: "Tenho certeza de que sua mãe o ama muito!". Era sua maneira de não limitar o outro a uma única iluminação muito negativa, ao imaginar sob qual luz carinhosa sua mãe deveria vê-lo. Seu exemplo me marcou muito.

O truque aqui consiste em rebater o primeiro julgamento – a sombra provocada por nosso primeiro ponto de vista – ao emitir logo um ponto de vista diferente. A parte que estava na sombra se ilumina, enquanto aquela que antes estava na luz desaparece. E, quando adicionamos os dois, passamos de uma visão em duas dimensões, em preto e branco – eu sou bom, ele é mau –, para uma visão em 3-D, com profundidade, contornos e diversos matizes de cinza.

Por exemplo, eu julgo um de meus colegas como rígido, austero e reprimido. Em outras palavras, lanço uma iluminação muito negativa sobre sua maneira de ser e sobre seus comportamentos. E se agora eu tentasse ver nele essas mesmas atitudes sob uma outra luz? Surpreendentemente, descubro que a parte de luz que anda com a sombra na qual eu havia me fixado é de alguém sólido, confiável e rigoroso.

Coloque-se no modo estéreo!

Fala-se muito em "escutar o outro soar do sino", uma maneira de dizer que em um conflito não se deve ouvir somente uma opinião, um único ponto de vista. Mas isso vale também para aquilo que se passa dentro de nós! Vamos ouvir somente a primeira voz, o primeiro ponto de vista que surge em nós? Ou vamos sistematicamente procurar ouvir o promotor e o advogado, simbolicamente falando? E a acusação e a defesa?

DURANTE TODO ESTE DIA, EU O CONVIDO A ADOTAR SISTEMATICAMENTE UM PONTO DE VISTA DIFERENTE, OU ATÉ TOTALMENTE OPOSTO, A CADA VEZ QUE UM JULGAMENTO NEGATIVO SE MANIFESTAR ESPONTANEAMENTE EM VOCÊ. RECUSE-SE A SER UM CICLOPE! OBRIGUE-SE A INVERTER COMPLETAMENTE O PRIMEIRO JULGAMENTO QUE SE APRESENTA A VOCÊ. PERGUNTE-SE COMO A MESMA FALA, O MESMO COMPORTAMENTO PODERIAM SE APRESENTAR SOB UMA LUZ TOTALMENTE CONTRÁRIA ÀQUELA QUE SURGIU PARA VOCÊ. FAÇA DISSO UM JOGO, SE ISSO PUDER LHE AJUDAR NO COMEÇO! COMO QUANDO SE É CRIANÇA E VOCÊ BRINCA DE "E SE, AFINAL, A SITUAÇÃO FOSSE TOTALMENTE O CONTRÁRIO DAQUILO QUE EU IMAGINO?", "E SE EU VISSE ISSO SOB UM ÂNGULO TOTALMENTE DIFERENTE?", COMO SERIA?

Esse hábito de inverter o ponto de vista, que eu pessoalmente pratico há muito tempo (estreitamente ligado ao senso de humor, a que sempre se recorre), é um dos componentes do "Trabalho", a ferramenta simples e eficaz desenvolvida pela norte-americana Byron Katie.[2] Por exemplo, se eu acredito que "meu pai nunca me amou", Byron Katie me convidará a fazer várias reversões ou inversões dessa crença:

- "nunca amei meu pai";
- "meu pai sempre me amou";
- "eu nunca me amei";
- etc.

O importante, nessas inversões, é sentir o que se passa em você quando você muda o ponto de vista. Como cada inversão de sua crença inicial afeta suas emoções? Como isso transforma seu julgamento inicial?

Em seu *best-seller* internacional, *Os 7 hábitos das pessoas altamente eficazes*, Stephen Covey conta a história de um senhor no metrô que observa um pai com seus dois meninos. O pai parece completamente alheio, desatento aos seus filhos. Os dois garotos falam muito alto, não param quietos e atrapalham o vagão inteiro, sem

---

[2] Byron Katie & Stephen Mitchell, *Aimer ce qui est* (Outremont: Ariane, 2003).

que o pai intervenha. O senhor que assiste a essa cena condena por dentro a negligência do pai e a falta de educação dos meninos. Por acaso, em seguida os dois homens começam a conversar.

Então, o primeiro descobre que o outro acaba de enterrar sua mulher, mãe de seus dois meninos. Imagine como em um milésimo de segundo todos os seus julgamentos e todo o seu ponto de vista sobre a situação mudam e se invertem completamente, como a condenação cede lugar a um acesso de compreensão e de empatia!

Pratique esse exercício até fazer dele um reflexo, uma recusa ao olhar único que leva ao pensamento único e ao julgamento único.

Sempre existem pelo menos duas maneiras de considerar e de compreender uma mesma situação. Como quando Groucho Marx, em um de seus hilariantes filmes, toma o pulso de um paciente, com o olhar cravado em um relógio de bolso, e acaba lhe dizendo: "De duas coisas, uma: ou meu relógio parou, ou o senhor está morto!".

A tabela a seguir lhe dará um espaço para anotar seus próprios exemplos. Use-a sistematicamente para manter um registro por escrito de suas reflexões nesse estágio do desafio.

Primeiro ponto de vista (sombra)	Segundo ponto de vista (luz)
Exemplos	
Ele é rígido, austero, reprimido.	Ele é sólido, confiável, rigoroso.
Ela é infantil, irresponsável.	Ela tem um coração de criança, ela é espontânea.
Agora é sua vez!	

6º DIA

A arte de abençoar

ABENÇOAR SIGNIFICA RECONHECER UMA BELEZA ONIPRESENTE, OCULTA AOS OLHOS MATERIAIS. ”

PIERRE PRADERVAND

E agora chegamos ao sexto dia do programa, que é simbolicamente o sábado, ou seja, o começo do fim de semana. Após cinco dias de trabalho duro – não me diga que você não fez nada! –, eu lhe proponho hoje algo mais simples, mais leve, mas extremamente poderoso. A ferramenta que você descobrirá a seguir poderá sozinha lhe permitir efetuar mais da metade do caminho na direção do não julgamento: nada menos que isso!

Mas, antes de qualquer coisa, um pequeno exercício é necessário: tente não pensar na palavra "lobo" durante um minuto. Tente (cronometre com seu relógio)!

E, então, como foi?

Você provavelmente só pensou nessa palavra, certo?

O problema com as ordens negativas ("não faça isso", "não faça aquilo") é que não se especifica o que se deveria fazer no lugar delas, e no fim você acaba encorajando indiretamente a pessoa a fazer exatamente aquilo que ela deveria evitar.[1] “Não vá para aquele buraco!”, grita uma mãe a seu filho que está andando de bicicleta. O inconsciente da criança só registra “vá” e “buraco”, e ela vai direto para dentro do buraco! Teria sido melhor lhe dizer “volte para cá!” ou “vá até a cerca!”, ou ainda “vire à esquerda!”.

O mesmo vale para o não julgamento. Durante todos os anos em que ouvi dizer que não se deveria julgar, eu concordava com a ideia, mas não julgar não me indicava nada que eu deveria fazer no lugar. Eu estava obcecado por meu desejo de parar de julgar... E no fim eu acabava só pensando em meus julgamentos, ou até me julgando por julgar!

Então, nesta sexta etapa, em vez de simplesmente lhe dizer “não (se) julgue!”, quero compartilhar um método muito simples, uma prática muito concreta que você pode usar imediatamente para substituir seus julgamentos.

Você quer deixar de (se) julgar?

E se você (se) agradecesse em vez disso?

Uma poderosa ferramenta antijulgamento

Encontrei Pierre Pradervand[2] pela primeira vez em 1992 em Genebra, na época em que ele era responsável pelo Projeto Fome na Suíça.[3] Descobri seu talento como escritor cinco anos mais tarde, quando tive a oportunidade de publicar seu livro *Vivre sa spiritualité au quotidien* pela editora Jouvence. Nós nos tornamos então grandes amigos. É nessa obra que Pierre oferece a seus leitores

[1] Já consigo ouvir alguns leitores espertinhos observando que *Chega de (se) julgar!* e todos os títulos que começam por *Chega de...* curiosamente reúnem injunções negativas. Só que a ordem aqui é de comprar o livro, no qual você descobrirá justamente o que fazer no lugar, como você está fazendo neste momento!
[2] Ver seu site: http://www.vivreautrement.org/.
[3] Em inglês, The Hunger Project, uma instituição de caridade norte-americana sem fins lucrativos que se dedica ao combate à fome no mundo.

um maravilhoso texto recebido em um momento de inspiração, que foi traduzido para dezenas de línguas e rodou o mundo desde então: *Le simple art de bénir* ("A simples arte de abençoar").

O princípio dessa prática não poderia ser mais simples. Em vez de deixar nosso coração e nossa mente conjugarem inconscientemente seus talentos para julgar tudo e todo mundo a cada instante - na rua, no trabalho, em família, etc. -, nós os atrelamos conscientemente a uma tarefa muito fácil, mas que pode transformar totalmente nosso estado interior e contaminar nosso círculo de convivência: abençoar cada pessoa com quem cruzamos, abençoar cada ser e cada coisa, como tão bem descreve Pierre nas linhas que se seguem.

O TEXTO

A SIMPLES ARTE DE ABENÇOAR

"AO ACORDAR, ABENÇOE SEU DIA, POIS ELE JÁ TRANSBORDA UMA ABUNDÂNCIA DE BENS QUE SUAS BÊNÇÃOS FAZEM APARECER. POIS ABENÇOAR SIGNIFICA RECONHECER O BEM INFINITO QUE É PARTE INTEGRANTE DA PRÓPRIA TRAMA DO UNIVERSO. ELE SÓ ESPERA UM SINAL NOSSO PARA SE MANIFESTAR.

AO CRUZAR COM AS PESSOAS NA RUA, NO ÔNIBUS, EM SEU LOCAL DE TRABALHO, ABENÇOE TODAS ELAS. A PAZ DE SUA BÊNÇÃO AS ACOMPANHARÁ EM SEU CAMINHO, E A AURA DE SEU DISCRETO PERFUME SERÁ UMA LUZ EM SEU PERCURSO. ABENÇOE AQUELES QUE VOCÊ ENCONTRA EM SUA SAÚDE, EM SEU TRABALHO, SUA ALEGRIA, SUA RELAÇÃO COM O DIVINO, COM ELES MESMOS E COM OS OUTROS. ABENÇOE-OS EM SUA ABUNDÂNCIA E EM SUAS FINANÇAS. ABENÇOE-OS DE TODAS AS MANEIRAS POSSÍVEIS, POIS TAIS BÊNÇÃOS NÃO SÓ SEMEIAM AS SEMENTES DA CURA, COMO UM DIA BROTARÃO COMO FLORES DE ALEGRIA NOS ESPAÇOS ÁRIDOS DE SUA PRÓPRIA VIDA.

QUANDO ESTIVER PASSEANDO, ABENÇOE SEU VILAREJO OU SUA CIDADE, AQUELES QUE A GOVERNAM E SEUS PROFESSORES, SUAS ENFERMEIRAS E SEUS GARIS, SEUS PADRES E SUAS PROSTITUTAS.
NO MESMO INSTANTE EM QUE ALGUÉM EXPRIMIR QUALQUER AGRESSIVIDADE, RAIVA OU FALTA DE BONDADE EM RELAÇÃO A VOCÊ, RESPONDA COM UMA BÊNÇÃO SILENCIOSA. ABENÇOE-OS TOTALMENTE, SINCERAMENTE, ALEGREMENTE, POIS TAIS BÊNÇÃOS SÃO UM ESCUDO QUE O PROTEGE DA IGNORÂNCIA DE SEUS DANOS, E DESVIA A FLECHA QUE É DIRIGIDA CONTRA VOCÊ.

(CONT.)

Abençoar significa desejar e querer incondicionalmente, totalmente e sem reserva nenhuma o bem ilimitado - para os outros e para os acontecimentos da vida -, buscando nas fontes mais profundas e mais íntimas de seu ser. Isso significa reverenciar e considerar com fascinação total aquilo que é sempre um dom do Criador e quaisquer que sejam as aparências. Aquele que é levado por sua bênção é distinto, consagrado, inteiro.

Abençoar tudo e todos, sem nenhuma discriminação, constitui a forma definitiva da doação, pois aqueles que você abençoa nunca saberão de onde vem esse raio de sol que de repente atravessa as nuvens de seu céu, e raramente você testemunhará essa luz em suas vidas.

Quando ao longo de seu dia algum acontecimento inesperado perturbar você ou seus planos, deixe as bênçãos fluírem, pois a vida está lhe ensinando uma lição, ainda que ela possa lhe parecer amarga. Isso porque esse acontecimento que lhe parece tão indesejável, foi você mesmo, na verdade, que o provocou, para aprender a lição que lhe escaparia caso hesitasse em abençoá-la. As dificuldades são bênçãos escondidas, e coortes de anjos seguem seus rastros.

Abençoar significa reconhecer uma beleza onipresente escondida do olhar material. É ativar a lei universal da atração, que, do fundo do universo, levará para dentro de sua vida exatamente aquilo de que você precisa no momento presente para crescer, progredir e preencher a taça de sua alegria.

Quando você passar em frente a uma prisão, abençoe seus habitantes em sua inocência e sua liberdade, sua bondade, na pureza de sua essência e em seu perdão incondicional. Pois só se pode ser prisioneiro da imagem que se tem de si mesmo, e um homem livre pode caminhar sem correntes no pátio de uma prisão, assim como os cidadãos de um país livre podem ser prisioneiros quando o medo se instala em seu pensamento.

Quando você passar em frente a um hospital, abençoe seus pacientes na plenitude de sua saúde, pois, mesmo em seu sofrimento e sua doença, essa plenitude espera simplesmente ser descoberta. E quando você vir uma pessoa aos prantos ou aparentemente exaurida pela vida, abençoe-a em sua vitalidade e sua alegria: pois os sentidos só apresentam o inverso da perfeição e do esplendor derradeiros que somente o olho interior pode perceber.

É impossível abençoar e julgar ao mesmo tempo. Então, mantenha em você esse desejo de abençoar como uma incessante ressonância interna e como uma perpétua prece

(Cont.)

SILENCIOSA, POIS ASSIM VOCÊ SERÁ DAQUELES QUE TRAZEM A PAZ E, UM DIA, DESCOBRIRÁ EM TODA PARTE A PRÓPRIA FACE DE DEUS."

P.S.: E, ACIMA DE TUDO, NÃO SE ESQUEÇA DE ABENÇOAR ESSA PESSOA MARAVILHOSA, TOTALMENTE BELA EM SUA VERDADEIRA NATUREZA E TÃO DIGNA DE AMOR QUE É VOCÊ.[4]

PIERRE PRADERVAND

Se as palavras "abençoar" ou "bendição" (*bene dicere:* etimologicamente, quer dizer simplesmente "dizer o bem", "falar bem") o incomodam porque evocam noções religiosas que hoje não lhe convêm mais, substitua-as por seu equivalente em seu sistema de crenças, em sua filosofia. Você pode imaginar que está enviando luz para as pessoas com quem cruza, que está alimentando aquilo que há de melhor nelas, que você as está ligando em pensamento a uma fonte universal de amor, etc. O que conta não são as palavras: é a intenção subjacente. Abençoar, nessa perspectiva, é simplesmente ter uma intenção positiva com cada um: desejar-lhes o melhor, oferecer-lhes algo de luminoso, de caloroso, de benéfico, por meio de seus pensamentos, sentimentos e intenções. Simples assim.

Um antídoto eficaz

Em seu livro, Pierre Pradervand cita uma série de pequenos "milagres" que ele testemunhou depois de ter utilizado essa ferramenta nas situações mais diversas: conflitos que se pacificam, um entrave na alfândega que é resolvido, um comerciante de mau humor que de repente muda completamente de ânimo, etc. Mas o milagre mais importante, a meu ver, é a transformação que essa prática simplíssima opera em nós mesmos. Em vez de sofrer com nossa tagarelice mental, em vez de ruminar sem mesmo pensar

[4] Pierre Pradervand, *Vivre sa spiritualité au quotidien* (Bernex/Saint Julien-en-Genevois: Éditions Jouvence, 1997.)

todos os tipos de pensamentos e sentimentos negativos, em vez de ter o cérebro no modo "julgamento automático", nós retomamos o comando e imprimimos voluntariamente uma direção positiva e benevolente para tudo aquilo que sai de nossa cabeça e de nosso coração. Em vez de nossos dois camaradas internos se comportarem como animais mal treinados que saem pisoteando os canteiros dos vizinhos e deixam ali vestígios fedorentos de sua passagem, eis que os treinamos a virem regar com uma água pura o jardim interior de cada um, para germinar as melhores sementes que ali adormeciam.

Quando eu "abençoo" os outros, minha mente nutre pensamentos luminosos e meu coração cultiva sentimentos calorosos. Logo, eu sou o primeiro a me beneficiar disso! É impossível medir o impacto que essa prática tem sobre os outros, mas, ainda que ela se revelasse inútil (o que é invalidado por inúmeros estudos sobre o poder da oração à distância, por exemplo), o efeito que ela tem sobre mim é muito convincente e seria suficiente por si só para me motivar a continuar.

Eu o convido a fazer esse teste deliberadamente. Saia de sua casa e vá dar uma volta de dez minutos, com o único intuito de dirigir silenciosamente suas bênçãos para cada pessoa com quem cruza. Faça isso! Depois, veja em que estado você se sentirá quando voltar. Não creia cegamente nem em Pierre, nem em mim: teste essa ferramenta, verifique sua eficácia por si mesmo, coloque-a à prova!

Você quer um desafio um pouco mais audacioso e mais estimulante agora?

Decida praticar a simples arte de abençoar durante uma semana, desde a manhã até a noite, em todos os contextos em que você se encontrar, independentemente das pessoas que o cercarem. Não conte a ninguém! Que seja seu segredo, sua prática oculta! Ao comprar seu pão de manhã, abençoe o padeiro. No ônibus, no metrô, abençoe aqueles ao seu redor. No trabalho, no telefone,

em todas as suas interações, abençoe a pessoa com quem você está em contato. Em casa, carregue de bênçãos seus olhares e seus gestos para com sua família. Depois, faça uma avaliação. O que isso mudou em você, em sua vida e ao seu redor?

Etimologicamente falando, abençoar é o contrário de maldizer, de amaldiçoar. Em nossa sociedade, na qual é tão comum vender fofocas e difamações, ou até calúnias e maledicências – tão comum, a bem dizer, que ninguém nem se espanta mais e nem vê que veneno para as relações isso é, na verdade! –, nós podemos espalhar o antídoto para todas essas maldições ao multiplicar as bênçãos silenciosas, da maneira que nos convier.

Por fim, abençoar lembra a repetição de um mantra, como aqueles que o *boom* das religiões orientais tornou muito populares entre nós: *Om mani padme hum, Om nama Shivaya*, etc. Na verdade, repetir continuamente um mantra, centenas ou milhares de vezes ao dia, é também um meio de "dar um osso para roer" à nossa mente e ao nosso coração, de usá-los em algo de positivo em vez de deixá-los ruminarem quaisquer sentimentos e pensamentos.

Então, por que não fazer da prática da arte de abençoar seu próprio mantra durante algum tempo? Aposto que você ficaria espantado com as mudanças que uma ferramenta tão simples como essa pode provocar em sua vida e em suas relações!

7º DIA

Primeiro dia de descanso

Com este sétimo dia, termina a primeira de suas três semanas no caminho para o não julgamento. Independentemente de você ter começado ou não em uma segunda-feira, este sétimo dia é um dia de descanso – mas não de inatividade.

O jeito mais simples de descansar, na verdade, consiste em mudar de atividade: quando o corpo está cansado, você pode praticar uma atividade intelectual, pois o cérebro está descansado e disposto; quando a mente está exausta, você pode ir caminhar, porque o corpo está em forma, etc. Não ficamos praticamente nunca fatigados em todos os planos ao mesmo tempo, e a mudança de atividade muitas vezes é uma maneira mais eficaz de descansar do que não fazer nada!

Primeiro balanço

Então, hoje lhe proponho várias coisas. Primeiro, você não precisa anotar seus eventuais julgamentos. Em vez disso, irá pegar as folhas nas quais anotou a cada dia os julgamentos que lhe escaparam. Depois, responderá sem pressa às perguntas a seguir.

Que progresso você fez ao longo dos seis primeiros dias?

. . . .

. . . .

. . . .

Você observou uma redução do número de julgamentos a cada dia?

. . . .

. . . .

. . . .

Ou, pelo contrário, um aumento?

. . . .

. . . .

. . . .

Se lhe parecer que o volume aumentou ao longo dos primeiros dias, não se desespere: o mais provável é que você só tenha se tornado mais ciente de seus julgamentos do que antes. Isso é, na verdade, um bom sinal. No início, nem sempre temos consciência de estarmos julgando tanto. Mas, ao começarmos um programa como este, ou seja, ao passarmos a apontar o holofote da consciência para nosso funcionamento cotidiano, isso pode ter como primeira consequência paradoxal a intensificação da percepção do número de vezes por dia em que nós (nos) julgamos.

Você pode imaginar que o balanço que eu o convido a fazer neste sétimo dia não tem por objetivo... julgá-lo! Ele pretende simplesmente fazer com que você tome consciência do caminho percorrido durante esta primeira semana.

Fazer um balanço é uma etapa indispensável para qualquer empreendimento, mas muitas vezes é negligenciada. No entanto, é isso que nos permite destilar todas as lições úteis daquilo que fizemos ou vivemos, podendo assim continuar ainda melhor, enriquecidos por tudo aquilo que aprendemos e percebemos.

Então, mais uma vez, reserve um tempo para responder às perguntas a seguir.

Dentre todas as ferramentas e pontos de vista que lhe foram propostos desde o primeiro dia, quais lhe foram mais úteis?

. . . .

. . . .

. . . .

Quais deles você tem vontade de aprofundar, de continuar utilizando ao mesmo tempo que outros?

. . . .

. . . .

. . . .

Quais foram suas percepções mais importantes durante esta semana?

. . . .

. . . .

. . . .

Eu o convido a reservar um momento para fazer esse balanço por escrito: em um caderno especial para isso ou em um novo documento em seu computador, reserve um momento hoje para analisar tudo aquilo que esta semana lhe permitiu viver e compreender (reveja todas as folhas nas quais você anotou suas reflexões no decorrer dos seis primeiros dias).

Não subestime a importância desse processo! Muitas vezes é exatamente nesses momentos que você coloca todos os fatores em perspectiva, tira as conclusões úteis daquilo que viveu, e assim consegue integrá-los melhor. É como a alimentação. Não se trata somente de comer, mas também de digerir, de absorver... E mesmo de eliminar aquilo que o corpo não consegue utilizar.

Dê a si mesmo essa liberdade neste programa. Absorva aquilo que lhe é proposto, mastigue, digira... E não hesite também em evacuar aquilo que não corresponde ao seu organismo, ou seja, à sua natureza e às suas convicções. Parece-me que há ferramentas e pontos de vista diferentes o bastante nestas páginas para que você possa se mostrar seletivo e levar em conta sua própria particularidade. Esse método poderá corresponder a determinado leitor em determinado momento de sua vida, mas não necessariamente a outro leitor em outro momento de sua vida. Se você reler este livro daqui a seis meses ou um ano (como qualquer outro texto, aliás), provavelmente encontrará nele conteúdos que não captaram sua atenção da primeira vez, e vice-versa.

Um ritual totalmente novo

Este sétimo dia é também aquele em que, como expliquei em "A regra do jogo" (ver p. XVII), você irá queimar as folhas diárias nas quais anotou seus julgamentos durante os dias anteriores (ou cortá-las em pedaços, caso queimar seja complicado demais para você).

Faça isso como um ritual. Em outras palavras, faça-o conscientemente, dedicando um momento de verdade a esse ato. Encontre um lugar onde você possa queimá-las sem risco: em uma lareira, em um forno a lenha, em um recipiente em uma sacada ou um terraço, ou ainda ao ar livre, em um lugar onde você consiga ficar sozinho por alguns instantes, etc. Amasse as folhas para que elas queimem com mais facilidade. Depois, em pensamento, confie seus julgamentos da semana à energia transformadora e purificadora do fogo. Imagine que esse fogo simboliza o amor que você deseja desenvolver e cultivar em seu coração. Ao colocar fogo em seus papéis, ao queimar seus julgamentos, você estará manifestando concretamente sua intenção de aos poucos ir deixando sua capacidade de amar vencer sua antiga propensão a julgar. Imagine que essas chamas estão libertando-o dos julgamentos que lhe escaparam durante a semana. Elas lhe permitem encontrar um coração e uma mente novinhos em folha, purificados dos pensamentos e dos sentimentos que os "poluíam", para iniciar a segunda das três semanas deste programa.

Se você não puder usar fogo, recorte suas folhas com atenção, em pedacinhos bem pequenos, imaginando que, por meio desse gesto, está ao mesmo tempo cortando os laços que ainda o ligam aos julgamentos e fazendo um corte preciso de seus comportamentos passados, para adotar com mais facilidade um novo modo de vida mais gratificante.

Por fim, relaxe!

Em seguida, no restante do dia, não se preocupe com este programa. É hora de relaxar. Dedique-se a suas tarefas e a seu lazer. Use este dia como bem entender, sem se preocupar com seus eventuais julgamentos, sem anotá-los, sem tentar especificamente usar tal ferramenta ou tal método. Mas também não resista a eles, caso você constate que já adquiriu certos hábitos novos que agora se manifestam em você, mesmo sem querer.

Saiba que esse tempo de relaxamento e de repouso está trabalhando a seu favor! Como você não tenta mais conscientemente não julgar, como sua atenção consciente é toda do seu lazer, do seu descanso, de sua família e de seus amigos, é seu inconsciente que assume o comando, que integra as lições da semana e se apropria delas. Assim como o jovem condutor que descobre com surpresa que progrediu quando volta a pegar no volante após uma semana de interrupção, porque seu inconsciente (e às vezes seus sonhos) repetiu os gestos aprendidos sem ele saber, você constatará que este dia de folga não é um momento em que você recua, em que perde parte de seus ganhos; pelo contrário, esse é um tempo em que estes se consolidam, sem sua participação consciente.

Então, aproveite bem este dia de relaxamento, uma vez terminados o balanço da semana e o ritual de destruição de seus julgamentos!

Como buscamos cultivar o amor em nossas vidas pelo não julgamento, eu lhe ofereço, para concluir esta semana, grandes trechos deste magnífico poema do grande Victor Hugo!

O POEMA

MILLE CHEMINS, UN SEUL BUT
MIL CAMINHOS, UM ÚNICO OBJETIVO

[...]

VOIS ERRER DANS LES CHAMPS EN FLEUR,
VEJA ERRAR NOS CAMPOS FLORIDOS,

DOS COURBÉ, PAUPIÈRES BAISSÉES,
DE COSTAS CURVADAS E PÁLPEBRAS BAIXAS,

LE POÈTE, CET OISELEUR
O POETA, ESSE CAÇADOR DE PÁSSAROS

QUI CHERCHE À PRENDRE DES PENSÉES.
QUE TENTA PEGAR PENSAMENTOS.
[...]

VOIS S'ÉLEVER SUR LES HAUTEURS
VEJA SE ELEVAR SOBRE AS ALTURAS

TOUS CES GRANDS PENSEURS QUE TU NOMMES,
TODOS ESSES GRANDES PENSADORES QUE VOCÊ CITA,

SOMBRES ESPRITS DOMINATEURS,
SOMBRIAS MENTES DOMINADORAS,

CHÊNES DANS LA FORÊT DES HOMMES.
CARVALHOS NA FLORESTA DOS HOMENS.

VOIS, COUVANT DES YEUX SON TRÉSOR,
VEJA, OLHANDO COM CUIDADO SEU TESOURO,

LA MÈRE CONTEMPLER, RAVIE,
A MÃE CONTEMPLAR, EXULTANTE,

SON ENFANT, CŒUR SANS OMBRE ENCOR,
SEU FILHO, CORAÇÃO AINDA SEM SOMBRA,

VASE QUE REMPLIRA LA VIE!
UM VASO QUE A VIDA PREENCHERÁ!

TOUS, DANS LA JOIE OU DANS L'AFFRONT,
TODOS, NA ALEGRIA OU NA AFRONTA,

PORTENT, SANS NUAGE ET SANS TACHE,
CARREGAM, SEM NUVEM E SEM MANCHA,

UN MOT QUI RAYONNE À LEUR FRONT,
UMA PALAVRA QUE IRRADIA EM SUA FRONTE,

DANS LEUR ÂME UN MOT QUI SE CACHE.
EM SUA ALMA UMA PALAVRA QUE SE ESCONDE.

SELON LES DESSEINS DU SEIGNEUR,
SEGUNDO OS DESÍGNIOS DO SENHOR,

LE MOT QU'ON VOIT POUR TOUS VARIE;
A PALAVRA QUE SE VÊ PARA TODOS VARIA;

- L'UN A: GLOIRE ! L'AUTRE A: BONHEUR!
- UM TEM: GLÓRIA!, O OUTRO TEM: FELICIDADE!

L'UN DIT: VERTU ! L'AUTRE: PATRIE!
UM DIZ: VIRTUDE!, O OUTRO: PÁTRIA!

LE MOT CACHÉ NE CHANGE PAS.
A PALAVRA OCULTA NÃO MUDA.

DANS TOUS LES CŒURS TOUJOURS LE MÊME;
EM TODOS OS CORAÇÕES, SEMPRE O MESMO;

IL Y CHANTE OU GÉMIT TOUT BAS;
ALI ELE CANTA OU GEME BAIXINHO;

ET CE MOT, C'EST LE MOT SUPRÊME!
E ESSA PALAVRA É A PALAVRA SUPREMA!

C'EST LE MOT QUI PEUT ASSOUPIR
É A PALAVRA QUE PODE ATENUAR

L'ENNUI DU FRONT LE PLUS MOROSE!
O TÉDIO DA FRONTE MAIS MOROSA!

(CONT.)

C'est le mystérieux soupir
É o misterioso suspiro

Qu'à toute heure fait toute chose!
Que a todo tempo faz tudo!

C'est le mot d'où les autres mots
É a palavra da qual as outras palavras

Sortent comme d'un tronc austère,
Saem como de um tronco austero,

Et qui remplit de ses rameaux
E que preenche com seus galhos

Tous les langages de la terre!
Todas as línguas da terra!

C'est le verbe, obscur ou vermeil,
É o verbo, obscuro ou escarlate,

Qui luit dans le reflet des fleuves,
Que reluz no reflexo dos rios,

Dans le phare, dans le soleil,
No farol, no sol,

Dans la sombre lampe des veuves!
Na sombria lamparina das viúvas!

Qui se mêle au bruit des roseaux,
Que se mistura ao ruído dos juncos,

Au tressaillement des colombes;
Ao tremor das pombas;

Qui jase et rit dans les berceaux,
Que pia e ri nos berços,

Et qu'on sent vivre au fond des tombes!
E que parece viver no fundo das tumbas!

Qui fait éclore dans les bois
Que faz eclodir nas florestas

Les feuilles, les souffles, les ailes,
As folhas, os sopros, as asas,

La clémence au cœur des grands rois,
A clemência no coração dos grandes reis,

Le sourire aux lèvres des belles!
O sorriso nos lábios das belas!

[...]

Ce mot, fondement éternel
Essa palavra, fundamento eterno

De la seconde des deux Romes,
Da segunda das duas Romas,

C'est Foi dans la langue du ciel,
É Fé na língua do céu,

Amour dans la langue des hommes!
Amor na língua dos homens!

Aimer, c'est avoir dans les mains
Amar é ter nas mãos

Un fil pour toutes les épreuves,
Um fio para todos os desafios,

Un flambeau pour tous les chemins,
Uma tocha para todos os caminhos,

Une coupe pour tous les fleuves!
Uma taça para todos os rios!

Aimer, c'est comprendre les cieux.
Amar é compreender os céus.

C'est mettre, qu'on dorme ou qu'on veille,
É colocar, dormindo ou acordado,

Une lumière dans ses yeux,
Uma luz em seus olhos,

Une musique en son oreille !
Uma música em seus ouvidos!

[...]

Victor Hugo

CHEGA DE
(SE) JULGAR!

O NÃO JULGAMENTO

2ª SEMANA

O BOM JUIZ CONDENA O CRIME SEM ODIAR O CRIMINOSO.

SÊNECA

8º DIA

"E se eu tivesse crescido nas mesmas condições?"

Um pequeno lembrete para começar este oitavo dia: você está iniciando a segunda semana deste programa, o que quer dizer que irá recomeçar, a partir de hoje, a anotar sistematicamente todos os julgamentos que escaparem, em folhas de papel que você guardará até o próximo "domingo", ou seja, até o 14º dia (tomarei o cuidado de lembrá-lo regularmente ao longo dos próximos dias).

Em 1990, Jean-Jacques Goldman lançou com Carole Fredericks e Michael Jones aquilo que viria a se tornar uma de suas três melhores músicas até hoje, "Né en 17 à Leidenstadt".[1] Nessa canção, os três intérpretes questionam se, caso tivessem vivido na mesma época e nas mesmas condições, eles teriam agido diferentemente dos alemães durante o regime nazista, de um irlandês do Norte durante a guerra civil ou ainda dos brancos ricos durante o *apartheid* na África do Sul. Como diz a letra da música: "Será que eu teria sido melhor ou pior do que essas pessoas, se eu fosse alemão?".

Na época, encontrei nessa música um eco para as perguntas que me fiz muito cedo com insistência: se eu tivesse nascido na Índia, entre os esquimós ou na Argentina, teria a mesma identidade fundamental?

---

[1] No álbum *Fredericks, Goldman, Jones*, CBS, 1990.

Seriam minhas opiniões, minhas ideias ou meus julgamentos atuais realmente meus, ou seriam eles frutos do ambiente familiar, social, cultural, econômico, religioso e/ou político no qual eu cresci, e que eu simplesmente absorvi por osmose? Em outras palavras, sou eu o produto de meu ambiente... ou tenho a liberdade de determinar a mim mesmo?

A resposta que elaborei ao longo dos anos é que a liberdade de determinar seus pensamentos, suas escolhas e seus atos é algo que se conquista aos poucos. Ela não nos é dada no nascimento. No começo, somos muito influenciados pelo meio em que nascemos (e pela época na qual viemos ao mundo). Nós necessariamente absorvemos suas ideias, seus valores e suas crenças. Tornar-se um indivíduo de pleno direito, com suas reflexões conscientes, suas opiniões, suas escolhas esclarecidas, suas decisões longamente amadurecidas, leva tempo e requer esforços constantes.

Da minha parte, eu nasci em Genebra, no comecinho dos anos 1960, de um pai protestante e de uma mãe católica, nessa cidade helvética repleta de valores calvinistas, que era e continua sendo um feudo dos bancos e dos investimentos mundiais, e que – na época – também era um dos centros de diálogo e de negociações entre países em conflito. Essas características (e muitas outras) necessariamente influenciaram minha visão de mundo e minhas escolhas durante minha juventude, até que eu me conscientizasse delas e operasse uma triagem consciente entre aquilo que eu queria guardar de minha educação e aquilo que não correspondia a mim, e que preferi substituir por outros valores, outras opiniões, outras escolhas.

Quando vejo o tempo que levei para me tornar ciente dessas influências, para me libertar de algumas delas e para forjar aos poucos minhas próprias opiniões, concluo que os julgamentos que fazemos apressadamente contra determinada pessoa muitas vezes erram seu verdadeiro alvo:

- Será que a pessoa que estou julgando realmente tem 100% de liberdade sobre seus pensamentos e seus atos?
- Será que ela sequer teve a possibilidade de conquistar pouco a pouco essa liberdade?
- Ou será que, por meio dela, eu não estaria julgando toda uma época, todo um contexto social, todo um ambiente político ou econômico no qual ela continua profundamente imersa?
- E eu teria feito melhor do que ela em seu lugar? Se eu tivesse nascido nessas condições, nessa época, se eu tivesse recebido essa educação, se eu tivesse sofrido esses condicionamentos, será que eu teria pensado, escolhido ou agido de forma diferente?

Essas questões e essas reflexões muitas vezes me ajudaram a mudar de ponto de vista, a mudar até mesmo de centro de gravidade. Em vez de me fixar em determinada pessoa, eu me esforço para levar em conta o contexto mais amplo no qual se inserem suas escolhas e seus atos. Em vez de julgar determinado indivíduo de forma dura, como se ele existisse sozinho, independentemente de qualquer meio natural e social, 100% livre e autodeterminado, eu o reposiciono no ambiente global que é o seu, cujas características o influenciaram profundamente, ou até o fabricaram. Eu me pergunto então sobre a parte de responsabilidade individual que é de fato a sua, e sobre a parte coletiva que cabe ao meio que o fabricou.

Uma das mensagens fundamentais de *Os miseráveis* (do gigante Victor Hugo) é justamente que não se deve focar cegamente em determinada pessoa sem levar em conta o contexto, a sociedade em que ela nasceu e se desenvolveu. "Uma alma repleta de sombras é onde o pecado se comete. O culpado não é aquele que pecou, mas sim aquele que fez a sombra", como ele escreveu. Em outras palavras, não fiquemos no nível sintomático: vamos também e principalmente agir nas causas profundas. Não olhemos somente para o indivíduo que rouba um pão: enxerguemos também o meio de onde ele saiu.

É o que dizia também à sua maneira Yehoshaphat Harkabi, ex-chefe da inteligência militar israelense: "Destruir mosquitos não serve de nada; é preciso secar os pântanos. Quando os pântanos desaparecem, não há mais mosquitos. Oferecer aos palestinos uma saída honrosa que respeite seu direito à autodeterminação é a solução para o problema do terrorismo".

O que tanto Victor Hugo como Harkabi querem dizer é que, quando julgamos alguém, muitas vezes nos esquecemos de todo esse pano de fundo sobre o qual se desenham seus atos. É como se de uma árvore só víssemos o tronco, desprezando todas as raízes das quais ela vem. Essa visão exageradamente individualista é incompleta, errônea e injusta.

Então, por que não ampliar nosso ponto de vista?

E se em vez de estigmatizar uma pessoa nós desenvolvêssemos uma visão do todo, antes de procurar como contribuir para transformar o meio do qual ela veio e que a fabricou, como fez Victor Hugo durante sua vida?

O PARA-RAIOS

É UM EXERCÍCIO UM POUCO "TRANSPESSOAL" QUE EU LHE PROPONHO AQUI, PARA O PRIMEIRO DIA DE SUA SEGUNDA SEMANA. A IDEIA É APRENDER A NÃO PARAR NO INDIVÍDUO, MAS SIM A DISTINGUIR POR TRÁS DELE O MEIO DO QUAL ELE SAIU; A NÃO VER SOMENTE A PONTA DO ICEBERG, MAS SIM PERCEBER A ENORME MASSA INVISÍVEL QUE SUSTENTA A PARTE EMERSA.

A CADA VEZ QUE VOCÊ SE SURPREENDER EMITINDO UM JULGAMENTO SOBRE DETERMINADA PESSOA, DURANTE ESTE DIA, PERGUNTE-SE LOGO QUAIS PODERIAM SER AS CONDIÇÕES NAS QUAIS ELA CRESCEU, QUE POSSAM TER CONTRIBUÍDO PARA FAZER DELA O QUE ELA É HOJE.

NÃO SE DETENHA NESSA PESSOA: PASSE (SIMBOLICAMENTE FALANDO) ATRAVÉS DELA, PARA CHEGAR ATÉ SUAS RAÍZES, OU SEJA, SEU AMBIENTE FAMILIAR, SOCIAL, EDUCACIONAL OU ATÉ RELIGIOSO E POLÍTICO.

Em qual meio ela cresceu? Que oportunidades ela teve ou deixou de ter? Com qual capital genético ela veio ao mundo? A quais possibilidades de educação ela teve acesso ou não? De qual liberdade de pensamento, de qual abertura de espírito ela gozou?

Se você não tiver certeza, conceda-lhe o benefício da dúvida.

Em seguida, observe como se transformam seus sentimentos e seus julgamentos, como em vez de focarem e se resumirem a uma única pessoa, eles se referem a algo muito maior e nele se diluem. Observe como seu ponto de vista e sua compreensão se ampliam, e como esse alargamento desenvolve em você mais empatia e tolerância.

Esse exercício de certa forma equipará você com um "para-raios humano": em vez de seus julgamentos se abaterem sobre uma única pessoa, correndo o risco de fulminá-la em seus pensamentos e seu coração, esse para-raios consciente a ligará à terra, ou seja, ao meio ao qual ela pertence. Seus raios se descarregarão assim sem perigo nesse contexto mais amplo e mais global.

Essa analogia com o raio que cai, aliás, é muito pertinente, quando um pouco aprofundada. Olhe para a foto de um raio: você o vê partir de um ponto específico da nuvem para depois atingir determinada árvore, campanário ou outro ponto específico no chão. Mas, na verdade, esse raio está descarregando a tensão que se criou entre toda a nuvem e toda a terra! Da mesma forma, os julgamentos que lançamos contra os outros muitas vezes são resultado de uma tensão entre os valores e as opiniões de todo o meio ao qual estamos ligados e aqueles de todo o contexto ao qual pertence a pessoa que estamos acusando. Por isso é útil aprender a discernir, ao mesmo tempo, o coletivo que há por trás da pessoa que estaríamos tentados a julgar e esse outro coletivo por trás de nós mesmos que contribuiu para fabricar esses julgamentos que não são inteiramente (ou não somente) nossos.

"Nenhum homem é uma ilha", dizia John Donne. "Todo homem é um fragmento do continente, uma parte do todo." Esse exercício o ajudará a fazer dessa verdade uma realidade viva, uma experiência de cada instante. Nossa sociedade hiperindividualista nos

fez perder de vista essa realidade, a ponto de só discernirmos o "tronco" aparente de cada pessoa, seu "eu" bem concreto e visível, sem perceber mais essa vasta rede de relações e de influências que constituem suas raízes.

Utilize a tabela a seguir para anotar suas reflexões.

Aquele/aquela que eu vejo agir	O(s) meio(s) de onde ele/ela veio
Exemplos	
Meu vizinho.	Família tradicional da França. Meio católico. Estudo superior.
Minha colega de trabalho.	Imigrantes sérvios, segunda geração. Pais educados durante o regime soviético. Periferia.
Agora é sua vez!	

Lembre-se

Você também pode usar a imagem do para-raios para se proteger, tanto dos julgamentos dos outros quanto daqueles que você poderia ter contra si! Alguém está julgando você? Mas é você de fato que esse alguém está julgando? Não estaria ele lançando seus raios contra todo o meio de onde você surgiu, contra aquilo que você representa na visão dele, e não contra você especificamente? Serve de algo levar para o lado pessoal os julgamentos que ele emite? Você não pode simplesmente deixar que eles o atravessem para se dissolverem em algo mais amplo que você?

9º DIA

Substitua suas exigências por preferências!

Eu ainda me lembro do primeiro livro de desenvolvimento pessoal que coloquei em prática, no comecinho dos anos 1980. Era o *Handbook to Higher Consciousness*,[1] de Ken Keyes Jr. (autor norte-americano que muitos conhecem pela teoria do centésimo macaco que ele popularizou), que foi traduzido anos mais tarde com o título literal *Guia para uma consciência superior*.[2]

Eu quero e eu exijo

O autor desenvolvia ali uma ideia de uma simplicidade infantil, cuja aplicação teve efeitos imediatos e muito benéficos sobre minha qualidade de vida, na época. A ideia era a seguinte: nós não paramos de ter exigências sobre tudo e sobre todo mundo.

Nós exigimos, por exemplo:

- que o tempo esteja sempre bom;
- que as pessoas dirijam bem na estrada;
- que os trens cheguem na hora;
- que nosso carro nunca quebre;

[1] Ken Keyes Jr., *Handbook to Higher Consciousness* (Berkeley: Living Loving Center, 1974).
[2] Ken Keyes Jr., *Manuel pour une conscience supérieure* (Éditions du Gondor, 2004) [título em português: *Guia para uma consciência superior*].

- que nossos filhos se comportem bem à mesa;
- que nosso chefe nos trate com gentileza;
- que a caixa do supermercado seja amável;
- que não haja congestionamento nas estradas;
- etc.

Nós temos exigências sobre praticamente toda e qualquer coisa!

Mas Ken Keyes Jr. salientava que qualquer exigência que não seja satisfeita nos contraria, provocando em nós descontentamento, raiva ou tristeza, dependendo do caso. Pior que isso: as exigências são como mosquitos. Se você mata nove dos dez presentes no quarto, basta o décimo para impedi-lo de dormir. Da mesma forma, se você tem dez exigências e nove delas são satisfeitas, a décima bastará para deixá-lo descontente.

A solução preconizada por Ken Keyes Jr. é fácil demais: substitua suas exigências por preferências!

Por exemplo:

- eu prefiro que faça sol... mas se chover, eu me ajeito;
- eu prefiro que as pessoas dirijam bem na estrada... mas se algumas dirigirem mal, eu aguento;
- eu prefiro que os trens cheguem na hora... mas se houver um atraso, eu tolero;
- etc.

Ao colocar em prática essa ideia tão simples, eu me dei conta de que o número de vezes em que ficava nervoso, descontente, frustrado, em que xingava as pessoas ou a situação na qual eu me encontrava, foi diminuindo consideravelmente. O mundo exterior continuava igual a antes, mas eu estava muito melhor!

Reduzir a distância entre minhas expectativas e a realidade

Essa sugestão de Ken Keyes Jr., na verdade, contém uma imensa sabedoria resumida admiravelmente por essa outra norte-americana, Byron Katie:[3] "Quando você luta contra a realidade, você perde... só que é toda vez!". Agradável ou não, realidade é realidade. As coisas são aquilo que são. As pessoas são como são. Lutar contra isso é desperdiçar sua energia e sua vontade, e ter a certeza de que se colocará em todos os estados emocionais possíveis e imagináveis. Mesmo se quisermos mudar, transformar ou melhorar as coisas, ainda é preciso começar aceitando-as como elas são.

Quando tenho exigências, eu tento em vão fazer com que a realidade se dobre à minha vontade. É meio como se, ao segurar um mapa rodoviário ultrapassado, eu quisesse que a estrada de verdade se adaptasse a ele. Eu não vivo no real, na realidade: eu vivo no mundo virtual de minhas expectativas, de minhas exigências, da visão ideal que forjei para mim daquilo que deveriam ser os outros e o mundo inteiro. Então, é inevitável que a distância existente entre minhas exigências e a realidade, entre minha representação perfeita e aquilo que as pessoas e as coisas realmente são, provoque em mim uma sucessão interminável de emoções desagradáveis. E de julgamentos!

Pois, sim! Quando eu julgo os outros, quando eu julgo uma situação, quando eu julgo a mim mesmo, é sempre em relação à visão ideal que criei para mim daquilo que eles deveriam ser. Minha emoção negativa é sempre a expressão da distância existente entre meu ideal, minha representação perfeita, e as pessoas tal como elas são de verdade. "Toda emoção é não aceitação", dizia o sábio indiano Swami Prajnanpad. Em outras palavras, quando eu estou em plena emoção negativa, é sinal de que não aceito a realidade, de que eu luto contra ela, de que existe uma tensão entre o

[3] Byron Katie & Stephen Mitchell, *Aimer ce qui est* (Outremont: Ariane, 2003).

virtual de meus desejos e minhas expectativas e o estado real das pessoas e das situações que eu enfrento.

"Eu o aceito como você é": quantos de nós já ouvimos essa frase de nossos pais, de nossa família, daqueles com quem crescemos? Pouquíssimos, segundo relatos que recebo de participantes de minhas oficinas, ou até nenhum. Pelo contrário: a maioria de nós passou a infância tentando corresponder às expectativas e às exigências dos adultos que nos cercavam para não sofrer seus julgamentos. Consequentemente, alguns anos mais tarde, nós começamos a fazer a mesma coisa: impor nossas exigências aos outros, a nossos parceiros ou cônjuges, a nossos filhos, a nossos colegas, a todo mundo... E muitas vezes com um sucesso relativamente nulo! É verdade, oras, as pessoas realmente se esforçam pouco para satisfazer nossas exigências!

A ferramenta desenvolvida por Ken Keyes Jr., de substituir as exigências por preferências, não visava especificamente nos libertar de nossos julgamentos, mas ela se revelou uma bela corda extra para acrescentar ao arco com o qual você aponta para o alvo do não julgamento.

Substitua suas exigências por preferências

Então, pronto para tentar um novo método, neste nono dia de nosso programa? Você entendeu o princípio: a ideia é pegar-se no pulo, quando você está prestes a julgar alguém (inclusive a si mesmo), e aproveitar para tomar ciência das suas exigências em relação a essa pessoa:

- Como ela deveria se comportar, na sua opinião?
- Como ela deveria falar, trabalhar, comer, viver?
- Que representação ideal você fez, sem saber, daquilo que ela deveria ser?
- É realista ter tais exigências sobre essa pessoa?

- Ela realmente vai se dobrar a seus desejos?

Anote primeiramente seus julgamentos e depois observe como a distância entre suas exigências e a realidade, ou, em outras palavras, entre sua visão ideal dessa pessoa e quem ela realmente é, desencadeia em você emoções negativas e julgamentos.

E se você substituísse todas essas exigências que você lhe impõe por simples preferências?

"Eu preferiria que ela comesse... que ela falasse... que ela trabalhasse... vivesse... assim, mas eu me adaptaria ao fato de que ela funciona mais desse jeito." Em outras palavras, eu aceito a realidade como ela é. Eu aceito as pessoas como elas são. Eu lido com isso. Qualquer outra escolha me corta da realidade e me tranca em minhas expectativas, em meu universo ideal virtual.

O objetivo desse exercício é usar seus julgamentos para operar uma autorreflexão e se conscientizar de suas próprias exigências. Portanto, em vez de querer fazer com que a realidade corresponda a suas exigências, você pode adaptar suas exigências à realidade. Você irá então constatar que seus julgamentos - nascidos da distância entre suas expectativas e aquilo que as pessoas realmente são - se tornarão menos intransigentes, vão se flexibilizar ou até desaparecer completamente.

Lembre-se

Aceitar a realidade e as pessoas tal como elas são não quer dizer se resignar, desistir, não tentar mudar ou melhorar nada. Você pode não somente se esforçar para melhorar as coisas, como também ter mais sucesso nisso, por dois motivos:

- primeiro, porque você verá e aceitará a realidade tal como ela é, o que lhe permitirá partir objetivamente da situação real;
- segundo, porque você nem mesmo tentará mudá-la por você, para apaziguar suas próprias emoções, de maneira egocêntrica, mas com uma motivação voltada para os outros, que leva em conta aquilo que eles são e ao que eles aspiram.

10º DIA

Acolher os julgamentos dos outros

Em *Alice no País das Maravilhas*, há uma passagem que descreve Alice tentando chegar até uma casa. Quanto mais ela avança na direção dela, mais a casa recua diante dela. Por fim, vencida pelo cansaço, Alice dá meia-volta e se encontra cara a cara com essa famosa casa!

Esse episódio me marcou muito. Acho que ele carrega um significado simbólico interessante: é às vezes tentando o inverso daquilo que nos esforçamos para fazer que por fim obtemos o resultado desejado. Por exemplo: eu me esforço para ajudar alguém, e quanto mais eu acho que o estou ajudando, menos ele parece conseguir se virar. Por fim, eu paro e deixo para lá, e é nesse momento que ele consegue se virar sozinho! Minha "ajuda" o enfraquecia e o deixava dependente, exatamente o contrário da intenção que me motivava.

A estratégia inversa

Quando meus esforços para chegar a determinado resultado não são coroados de sucesso, adotei o hábito de tentar a estratégia inversa (foi assim que comecei a tomar banho frio de manhã para me aquecer, por exemplo!).

Talvez você esteja se perguntando qual é a relação disso com o assunto do qual tratamos aqui.

Uma relação muito interessante, você verá.

Acontece muito frequentemente de sermos alvos de julgamentos alheios: em família, no trabalho, às vezes mesmo com nossos amigos. Como você reage quando alguém emite um julgamento a seu respeito? Não sei você, mas eu, antigamente, ficava contrariado ou irritado, nervoso ou triste, dependendo do caso (e dependendo de quem fizesse esse julgamento!). Logo, eu temia os julgamentos dos outros. Eu me esforçava o máximo possível para evitá-los. Então, empregava todos os tipos de estratégias (pouco eficazes) para atingir meus objetivos.

Quando descobri e depois traduzi *Os quatro compromissos: o livro da filosofia tolteca*,[1] de Don Miguel Ruiz, em 1998, o segundo compromisso ("Não leve nada para o lado pessoal") fez muito sentido para mim: não seja mais sensível aos julgamentos dos outros... Que sonho! Mas eu tinha dificuldades para colocá-lo em prática, até o momento em que percebi que, se os julgamentos dos outros me atingiam, se eles me feriam, era porque eles entravam em ressonância com o mesmo julgamento que eu pronunciava contra mim.

Imagine dois instrumentos de corda dentro de um mesmo cômodo: se eu toco a corda Lá do primeiro, a do segundo começa a vibrar também. Com os julgamentos é a mesma coisa: se me chamam de idiota e isso me ofende, quer dizer que parte de mim considera também que sou um idiota. Portanto, se eu reajo, não é em razão do que os outros dizem, mas sobretudo em virtude de meus próprios julgamentos sobre mim! Prova disso é que se alguém me chama de sovina ou de orgulhoso, sendo que não tenho nenhum desses julgamentos sobre mim, esses julgamentos passarão por mim sem provocar nada, nenhuma emoção. A "corda" que foi tocada do lado de fora não encontra nenhum equivalente para ressonar dentro de mim.

---

[1] Miguel Ruiz, *Les quatre accords toltèques* (Bernex/Saint-Julien-en-Genevois: Éditions Jouvence, 1999) [título em português: *Os quatro compromissos: o livro da filosofia tolteca*].

Ao compreender isso, inverti totalmente minha estratégia. Em vez de sair de casa pela manhã pensando: "Hoje não vou levar nada para o lado pessoal, não vou reagir, não vou me ofender... vou ficar zen!" – e em vez de me segurar por trinta minutos antes que o comentário grosseiro de um colega me fizesse perder toda a "zenitude"... –, assumi a postura oposta: "Vamos! Faça com que eu reaja, mostre-me onde ainda tenho julgamentos contra mim, que eu possa me libertar deles primeiro em mim!".

Eu reforço meu escudo

Por essa perspectiva, os julgamentos dos outros não são mais flechas a serem temidas, das quais você precisa se proteger: pelo contrário, eles são valiosos indicadores que nos mostram onde persistem os "buracos" em nosso escudo, simbolicamente falando, ou seja, onde nós julgamos a nós mesmos, onde ficamos expostos às críticas dos outros.

Lembre-se

No *Jeu des Accords Toltèques*, que criei com Marc Kucharz e Brandt Morgan, cada compromisso tolteca corresponde a um componente da parafernália do perfeito cavaleiro das relações: "Que sua palavra seja impecável" é sua espada (a palavra, como uma lâmina, pode ser utilizada para o bem ou para o mal); "Não leve nada para o lado pessoal" é justamente seu escudo; "Não faça suposições" é sua busca, ou seja, a verdade; "Faça sempre o seu melhor" é seu lema ou sua regra; e, por fim, o quinto compromisso tolteca, lançado dez anos depois dos quatro primeiros, "Seja cético, mas aprenda a escutar", é seu elmo alado: o capacete o protege da credulidade, e as asas sobre as orelhas o encorajam a ouvir a essência daquilo que lhe é dito.

É claro que essa tática não o impedirá de achar desagradáveis os julgamentos feitos contra você, sobretudo inicialmente: no calor do momento, você pode até mesmo se magoar, se contrariar, se enervar, se entristecer ou se ofender. Sejamos realistas.

Só que internamente você saberá que acabou de receber uma bênção disfarçada, que você tem ali um sinal, uma chave para desentocar um julgamento que você faz sobre si mesmo, para poder em seguida se libertar dele.

Depois, virá um dia em que alguém emitirá o mesmo julgamento de antes sobre você, só que dessa vez ele passará por você sem provocar nenhuma emoção, nenhuma ressonância! Talvez você até mesmo dê risada. Na primeira vez que isso acontecer, você provavelmente achará estimulante: irá realmente sentir um adicional de liberdade assim conquistado. Um buraco terá sido tampado em seu escudo: você não estará mais vulnerável nessa parte.

Use as flechas atiradas contra você para consertar seu escudo

Para este décimo dia de tratamento antijulgamento, eu convido você a testar por si mesmo essa inversão de 180° na maneira de apreender os julgamentos que os outros fazem sobre você. Espere por eles! A partir de agora, esses julgamentos lhe servirão para descobrir os buracos que há em seu escudo, as falhas em sua autoestima e no amor que você direciona a si.

A cada vez que alguém lhe faz um comentário que o magoa ou que o faz reagir, preste atenção. Chegue a ter a audácia de agradecer internamente à pessoa que o julga, pela conscientização que ela lhe permite fazer quanto a seus próprios julgamentos sobre si mesmo.

Não tente necessariamente resolver de imediato a problemática que faz com que você se julgue. Acolha com calma a contrariedade, a humilhação, a raiva despertada pelo comentário que é feito sobre você. Seja um pouco indulgente consigo mesmo, isso não faz mal.

"Caramba! Havia um tremendo buraco neste ponto do meu escudo! Estava bem na minha cara! Obrigado, amigo, sem querer você acaba de me fazer um grande favor. Agora vou ter no que trabalhar."

Deixe sua emoção seguir seu curso normal, como uma onda de uma certa altura que precisa de um certo comprimento de praia para se espalhar, sem colocar contra ela o muro da negação, nem ampliá-la pelos ventos da mente.

Depois, uma vez que tenha quase recuperado a calma, talvez à noite, quando tiver voltado para casa, você conseguirá rememorar o incidente e desentocar os julgamentos contra si mesmo que ele revelou. Acima de tudo, tome o cuidado de anotar suas reflexões, pois elas vão lhe servir no fim de semana. Dessa forma, você poderá se libertar delas e restaurar parte da integridade de seu escudo, ou seja, de sua autoestima, de seu amor-próprio.

Vejamos um exemplo: sua mãe liga e o repreende por não telefonar com mais frequência e por não vê-la com mais regularidade. O comentário dela o magoa. Você se sente culpado e ficaria tentado a se justificar, ou até a contra-atacar. Pare! Pegue-se no flagra. Acolha sua emoção. Em seguida, depois dessa conversa telefônica, uma vez passada a onda emocional, procure a parte de si mesmo que também julga que você é um mau filho ou uma má filha. Ataque esse julgamento sobre si mesmo, para se libertar dele. Assim, um dia esse mesmo comentário de sua mãe não provocará mais nada de negativo em você: será possível acolhê-lo com indulgência, empatia, compreensão ou firmeza, dependendo do que convier no momento.

Cabe a você saber dosar, é claro: não vá se expor inutilmente a um fogo de julgamentos superior àquilo que você se sente capaz de administrar quase serenamente. Mas só o fato de trocar o medo dos julgamentos alheios por uma certa inclinação a acolhê-los, a usá-los para progredir na direção de sua plena liberdade interna, modificará por si só suas interações com os outros. Você ficará menos irritado, menos tenso, menos temeroso, mais aberto, mais curioso.

Se às vezes você não conseguir, não ceda à tentação de ficar bravo consigo mesmo: aceite que é ali onde você está por ora, que você está no caminho, e que esse caminho acabará o levando ao destino desejado. Um passo por vez. Ainda que aconteça de você tropeçar, como acontece com cada um de nós.

Esse é um exercício formidável para inverter, para reverter completamente a maneira como nós reagimos aos inevitáveis julgamentos e comentários alheios sobre nós. Enquanto eu me julgar, continuarei muito sensível aos julgamentos dos outros. Consequentemente, os julgamentos que me atingem são ajudas preciosas para me libertar de meus próprios julgamentos contra mim. Em vez de reagir a eles, decido então usá-los, e isso muda tudo!

Além disso, você logo irá constatar que ao diminuir os julgamentos que emite contra si mesmo, também reduzirá o número daqueles que você lança contra os outros. Na medida em que vão aumentando a indulgência, o amor e a estima que você tem por si mesmo, você constatará que está demonstrando cada vez mais as mesmas qualidades em relação aos outros.

Mesmo tendo lido ou ouvido centenas de vezes que nós mesmos devemos nos mudar e transformar, que é de nossa metade da relação que devemos cuidar, é só no dia em que, pela primeira vez, transformamos algo em nós mesmos e que vemos o lado de fora – ou seja, nossas relações com os outros – mudar também em seguida que percebemos o quanto isso é verdadeiramente verdadeiro!

Sim, os outros são um espelho. Sim, as relações que tecemos com eles são reflexo daquelas que desenvolvemos com nós mesmos. Não acredite em mim cegamente. Não acredite em ninguém cegamente! Experimente por si mesmo em sua vida. Faça o teste: mude algo em você (como sua maneira de acolher os julgamentos alheios) e logo veja como essa mudança também se refletirá em suas relações com o lado de fora, com os outros.

Valendo!

11º DIA

Os espectros de temperamentos

No ano 2000, tive a sorte de esbarrar, pelo mais puro acaso, em um livrinho precioso, escrito por um certo Arlo Wally Minto, publicado por uma pequena e modesta editora norte-americana sob o título um tanto banal de *Communication and Understanding in Relationships* ("Comunicação e compreensão nas relações"). Eu logo o traduzi e publiquei em francês, e ele foi lançado sob o título *Tous ensemble, tous différents!: le secret des complémentarités dans le couple et dans la vie*.[1]

Fiquei realmente fascinado por esse livro, pois nele descobri uma chave genial para melhorar minhas relações. É o tipo de livro que eu tipicamente teria vontade de dar para todo mundo na época, assim como alguns outros títulos essenciais, uma vez que suas ideias podem ser colocadas em prática de imediato e todos podem ver muito rapidamente os resultados em suas vidas.

Quero compartilhar essa chave aqui com você, pois ela pode, assim como fez comigo, ajudá-lo consideravelmente a compreender melhor os outros... e, portanto, a julgá-los menos.

Eu falo de "chave", mas poderia muito bem usar a palavra "ferramenta", pois um dos objetivos deste livro é justamente fornecer a você muitas ferramentas diferentes para conseguir chegar a esse não julgamento do qual tratamos aqui. Determinada ferramenta

---

[1] Arlo Wally Minto, *Tous ensemble, tous différents!: le secret des complémentarités dans le couple et dans la vie* (Bernex/Saint-Julien-en-Genevois: Éditions Jouvence, 2001).

pode servir bem para determinada pessoa, ou em determinado momento de sua vida; outra ferramenta se revelará mais oportuna para outra pessoa, ou em um momento diferente de sua existência. A única certeza é de que não existe um "canivete suíço", uma ferramenta universal que todo mundo possa usar o tempo todo. Permita-me citar mais uma vez esta eloquente frase de Abraham Maslow: "Para aquele que só tem um martelo, todos os problemas são pregos". Não se contente com uma única ferramenta, ainda que ela funcione bem (durante um tempo). Utilize várias delas, saiba alterná-las, ou até elaborar as suas, a partir daquilo que você foi descobrindo aos poucos cá e lá.

Então, qual seria essa famosa chave?

Os extremos inversos

Arlo Wally Minto explica que existem pares de temperamentos opostos que encontramos tanto em nós mesmos quanto nos outros, em graus variados. Em seu livro, ele detalha oito deles:

- o tagarela incorrigível e o calado;
- o ativo e o reativo;
- o muito sensível à dor e o pouco sensível à dor;
- o gregário e o solitário;
- o diurno e o noturno;
- o perfeccionista e o não perfeccionista;
- o pró-contato e o anticontato;
- o lento e o rápido.

Mas, em vez de apresentá-los como pares opostos, justamente, ele fala mais de um mesmo espectro (como o espectro de cores, por exemplo) de temperamentos que vai de um extremo ao extremo inverso, passando por todas as gradações possíveis entre os dois. Nuances!

Portanto, não há somente tagarelas incorrigíveis de um lado, para usar o primeiro exemplo, e calados de outro: entre os dois há pessoas mais ou menos tagarelas, e mais ou menos caladas. A maioria de nós, aliás, se encontra em algum ponto entre os dois extremos, extremos em que, na realidade, só está uma minoria de pessoas em cada espectro.

Qual a vantagem dessa maneira de apresentar as coisas?

Se eu me situo na zona mediana de um desses espectros – nem particularmente tagarela, nem calado demais; diria que normal –, geralmente consigo me entender com os dois extremos desse mesmo temperamento, que são as pessoas quietas demais ou falantes demais. Em compensação, se eu encarno uma dessas duas extremidades de um desses espectros – sou muito rápido, sou um perfeccionista completo, sou um reativo, etc. –, tenho muita dificuldade em compreender aqueles que funcionam no outro extremo, e, portanto, em me entender com eles! Se sou rápido, vou fazer julgamentos severos contra aqueles que eu considere lentos demais, em relação a meus padrões. Se sou muito inclinado a tocar nas pessoas, muito propenso ao contato físico, vou julgar "contidos" e "frios" aqueles que não são como eu. E aqueles que estiverem no extremo oposto do espectro farão o mesmo comigo! Eles nunca conseguirão compreender que eu possa ser como sou, ou seja, radicalmente diferente deles.

Além disso, é possível que eu mesmo me julgue: eu deveria ser menos falante; deveria buscar menos contato físico com os outros; deveria ser mais rápido, menos reativo, etc. Ah, é? E por quê? Viva a biodiversidade humana, caramba! Por que deveríamos ser todos iguais?

Quando surpreendo um julgamento prestes a se manifestar em mim, originado da comparação do outro com aquilo que eu mesmo sou, costumo pensar: "Espere aí: imagine por um momento que a Terra seja toda povoada por pessoas como você! Talvez fosse um alívio no começo, mas acabaríamos morrendo de tédio!". Pior: e se tudo fosse neutro? Se todos fossem normais, ou seja, médios, neutralizados, pasteurizados, emasculados? Que chatice! Que sem graça!

Felizmente, há pessoas de todo tipo, que apresentam várias diferenças – em sensibilidade, em velocidade, no modo de se relacionar, nas formas de inteligência, etc. –, pois precisamos de toda essa diversidade na sociedade para atender a todos os tipos de situação, de preferências, de exigências próprias para determinado ambiente, determinada profissão, determinada época, etc.! Não é nem por acaso nem por azar que existe tal diversidade, mas sim por uma necessidade e – mesmo que seja mais difícil de apreciar – por uma bênção.

Graças à compreensão desse espectro de temperamentos, torna-se mais fácil aceitar a si mesmo, tal como somos, inclusive nos eventuais extremos que nossa personalidade apresente, e de aceitar os outros tal como eles são em suas particularidades e suas diferenças. O próprio termo "espectro" nos ajuda nisso, pois quem gostaria de acabar com o vermelho e o roxo por eles serem os dois extremos do espectro das cores?

Duas maneiras opostas de exprimir seu amor

Há um domínio em especial no qual esse conhecimento dos espectros de temperamentos exerce um papel totalmente crucial: o do amor – tanto aquele que damos quanto o que recebemos. Arlo Wally Minto ressalta que um número inacreditável de incompreensões, de mal-entendidos e de frustrações entre casais e famílias resulta da maneira muito diferente – e às vezes radicalmente oposta – como exprimimos nosso amor. Essa diferença está ligada ao espectro "pró-contato"/"anticontato" (que também podemos chamar de "físico/intelectual" em alguns aspectos).

Algumas pessoas têm uma maneira muito física de expressar afeição e amor: elas precisam abraçar o outro, tocá-lo, fazer carinho; não conseguem falar com você sem colocar a mão em seu braço, sem dar um tapinha nas costas ou demonstrar fisicamente seu afeto, de uma maneira ou de outra. Isso é tão natural para elas que nem sequer conseguem imaginar que outras pessoas não somente não funcionam de forma alguma assim, como também não apreciam particularmente esse modo afetivo muito demonstrativo! De fato, no outro extremo, entre os "anticontato", há pessoas para quem a afeição e o amor se exprimem de maneira mais "intelectual", como diriam alguns, por meio da conversa, do olhar ou simplesmente de momentos que se passam juntos, sem qualquer tipo de contato físico.

O que acontece se uma pessoa "pró-contato" e uma "anticontato" formam um casal, ou se trata de um pai e filho?

Na maior parte das vezes, os dois terão a impressão de que o outro não o ama de verdade! Um está sempre abraçando o outro, fazendo carinho, mimando... mas o outro preferia simplesmente conversar, ler uma história, caminhar lado a lado. O outro prefere oferecer sua presença, seu olhar, falar, contar sobre o que viu... mas o primeiro, por não receber o toque, tem a impressão de não estar sendo amado.

Na verdade, os dois se amam profundamente, só que suas maneiras de manifestar o amor são totalmente opostas.

Quantos casais, quantos pais e filhos não viram sua relação mudar completamente depois de descobrirem isso! De repente, eles entendem que a maneira de ser e de se comportar do outro em relação a eles era uma prova de amor, ainda que ela não assumisse a forma esperada. Vi, por exemplo, filhos descobrirem aos 30 ou 40 anos que seu pai sempre os havia amado, só que ele nunca havia expressado seu amor no mesmo registro deles, sendo verbal, intelectual, alguém muito pouco propenso a sinais de afeto físico, mas que dava muito de si à sua maneira, que se preocupava muito sinceramente com seus filhos, que lhes dava seu apoio de milhares de outras maneiras... e estes últimos não percebiam.

A mesma corrente elétrica pode alimentar uma geladeira ou um radiador, um motor ou um freio assistido: uma coisa ou seu contrário. O mesmo amor humano pode também assumir formas radicalmente opostas, mas que continuam sendo provas de amor se soubermos decifrá-las, traduzi-las, em vez de ficarmos prisioneiros de nossa própria maneira de demonstrar amor.

Essas diferenças que existem entre nós são uma formidável oportunidade de ir além das aparências, de olhar em profundidade e descobrir quais são realmente as intenções e os sentimentos que motivam as pessoas que nos cercam, ainda que sob roupagens muito diferentes das nossas.

Lembre-se

Você deve ter notado: na natureza, de um lado encontramos plantas muito diferentes que secretam substâncias muito parecidas (a bétula e a gaultéria, por exemplo, cujos óleos essenciais têm um aroma muito similar, à base de salicilato de metila), e de outro, o inverso, vegetais muito parecidos que possuem propriedades totalmente opostas (como certos cogumelos venenosos que são facilmente confundidos com outros comestíveis).

O mesmo vale para os seres humanos e seus temperamentos e comportamentos: não podemos confiar nas aparências. Uma semelhança superficial entre duas pessoas pode esconder grandes diferenças no fundo. Já uma diferença aparente pode, na verdade, mascarar uma grande similaridade. Moral da história: somos obrigados a desenvolver nossa intuição, nosso discernimento e nosso senso de observação para conseguirmos realmente conhecer as pessoas que nos cercam. Assim, deixamos de julgar!

O fato de que existe uma diferença entre nós não implica que essa diferença se traduza em um julgamento, lembre-se disso!

Conhecer melhor você mesmo e os outros

- Para começar, convido você a considerar os oito espectros de temperamentos enunciados anteriormente e a se perguntar: "Estou em um extremo ou no outro, ou estou em algum ponto no meio?". Por exemplo, falando por mim, ainda que eu escreva livros, ainda que eu dê palestras e coordene oficinas, nem por isso sou um "tagarela incorrigível". Gosto muito do silêncio e da solidão, e preciso muito disso.

ESTOU RELATIVAMENTE NO MEIO DESSE ESPECTRO, PORTANTO ME ENTENDO TÃO BEM COM AQUELES QUE FALAM MUITO QUANTO COM OS CALADOS. EM COMPENSAÇÃO, NO ESPECTRO RÁPIDO/LENTO, SOU INDISCUTIVELMENTE RÁPIDO; LOGO, POR MUITO TEMPO TIVE DIFICULDADES COM AQUELES QUE FALAM DEVAGAR, QUE COMEM DEVAGAR, QUE FAZEM TUDO DEVAGAR! EU OS JULGAVA SEVERAMENTE EM RELAÇÃO AOS MEUS PADRÕES (E ELES ME JULGAVAM EM RELAÇÃO AOS DELES!). HOJE, APRENDI A APRECIAR E A VALORIZAR AQUELES QUE FAZEM AS COISAS EM UM RITMO DIFERENTE DO MEU... E A RELATIVIZAR AS QUALIDADES QUE EU ENCONTRAVA EM MINHA PRÓPRIA RAPIDEZ.

- EM SEGUIDA, EU LHE PROPONHO FAZER A MESMA ANÁLISE PARA AS PESSOAS QUE LHE SÃO MAIS PRÓXIMAS: SEU PARCEIRO OU CÔNJUGE, SEUS PAIS E FILHOS, SEUS COLEGAS DE TRABALHO, SEUS AMIGOS, ETC. EM RELAÇÃO A CADA UM, PERGUNTE-SE SOBRE O MODO COMO ELES FUNCIONAM: ELES PENDEM MAIS PARA QUAL LADO DO ESPECTRO? OU ESTARIAM ELES NO MEIO? COMO VOCÊ OS PERCEBE? COMO OS ESPECTROS DE TEMPERAMENTOS O AJUDAM A COMPREENDER MELHOR A MANEIRA ESPECÍFICA COMO ELES SE COMPORTAM, COMO ELES TRABALHAM, COMO ELES EXPRESSAM SEU AMOR, ETC.? E ELES, NA SUA OPINIÃO, COMO ELES O PERCEBEM OU O JULGAM? E SE VOCÊS CONVERSASSEM SOBRE ISSO ALGUM DIA?

EU RECOMENDO QUE VOCÊ REALIZE ESSE EXERCÍCIO POR ESCRITO, UMA VEZ QUE GUARDAR UM REGISTRO VISÍVEL DE SUA EVOLUÇÃO PERMITE QUE SE RECONHEÇA POR SEU VERDADEIRO VALOR O CAMINHO PERCORRIDO.

Conseguir se aceitar da forma como você é e conseguir aceitar os outros tal como eles são... esse é o presente que você pode ganhar com a compreensão desta etapa e a prática regular desse exercício, aprendendo a apreciar as diferenças, não procurando mais mudar os outros, não se obrigando mais a ser o que não é e não (se) julgando mais.

Imagine se ensinassem coisas tão simples assim desde cedo na escola; com o tempo, acabaríamos transformando a sociedade!

12º DIA

Não julgar não é ser capacho!

E agora chegamos ao quinto dia da segunda semana deste caminho para o não julgamento. O momento me parece oportuno para olharmos com mais atenção para um ponto que mencionei rapidamente na introdução: não julgar não é o mesmo que aceitar tudo. De fato, se o não julgamento devesse fazer de nós pessoas que dizem amém para tudo, que não somente não se permitem julgar o que quer que seja (por favor, não!), mas que ainda por cima se escondem atrás de uma espécie de pseudoneutralidade para não se pronunciar sobre mais nada, não haveria muitos candidatos para se lançarem nessa aventura. Foi por isso que mencionei em poucas palavras essa questão já nas primeiras páginas do livro, para desativar essa armadilha, antes de voltar com mais detalhamento agora, após o caminho que você percorreu até aqui e a compreensão daquilo que é realmente o não julgamento, que agora você possui.

Você se lembra (ver 4º dia, p. 24) de que o não julgamento não é não discernimento. Quando mostro discernimento, quando observo, eu simplesmente olho as coisas e os seres tal como eles são, em suas múltiplas diferenças. O discernimento é um processo mental que se baseia em realidades objetivas. Em compensação, quando eu julgo, o emocional se mistura e, com base naquilo que observo – ou até pior, com base no que eu imagino, em minhas suposições e intenções que atribuo aos outros –, eu jogo todo tipo de emoções negativas sobre eles: raiva, ódio, desprezo, rejeição, etc.

Consequentemente, o risco para conseguir deixar de julgar é parar de observar, é recusar-se a ver a realidade tal como ela é, com todas as nuances e as diferenças que ela comporta: se eu finjo não ver mais aquilo que distingue uns dos outros ou de mim mesmo, posso me iludir que vou parar de julgá-los. Mas, na verdade, isso não passa de uma ilusão. É como se eu usasse óculos que borrassem a realidade, afogando todos os detalhes e as diferenças em algo de indistinto, de neutro. Ao fazer isso, eu simplesmente considerei o discernimento e o julgamento como uma coisa só.

"Tudo é perfeito!"

Uma das manifestações evidentes desse lamentável truque de mágica que observo há uma dezena de anos nos meios do desenvolvimento pessoal é aquela que consiste em bradar aos quatro ventos: "Tudo é perfeito!". Você é perfeito. Eu sou perfeito. Os outros são perfeitos também. O mundo é perfeito. O que você acha? "É perfeito!"

É comum incorrer nesse erro que eu o convido a evitar: chega de discernimento, tudo é relativo, tudo é igual. Mas isso é uma perfeita mentira! Primeiro porque, por definição, um qualificativo perderia sua utilidade assim que se aplicasse a tudo. Se tudo fosse perfeito, não haveria mais nada de imperfeito; logo, como a noção de imperfeição não existiria mais, a de perfeição desapareceria pelo mesmo motivo, pois ela se tornaria universal e não serviria mais para distinguir o que quer que fosse de outra coisa. Você entende? Então, dizer que "tudo é perfeito" equivaleria a suprimir qualquer ideia de perfeição e de imperfeição. Em que isso nos ajudaria? Em justificar o *status quo*? Em não procurar mais melhorar em nada?

A meu ver, dizer que tudo é perfeito é uma maneira desajeitada de tentar passar a ideia de que a cada estágio de sua evolução é possível discernir em cada ser e cada coisa uma beleza e qualidades específicas. Em outras palavras, um bebê e um adulto são

"perfeitos", uma bolota e um carvalho são "perfeitos", uma vez que estão em seus respectivos estágios de crescimento. Mas um bebê nem por isso é um adulto, e uma bolota tampouco é um carvalho! É possível ter todo o amor do mundo por um bebê, se encantar com ele, acariciá-lo, ficar emocionado com o que ele é, com o que ele diz, com o que ele faz, etc. Mas, se ele ficasse sua vida inteira nesse estágio, ninguém duvida de que nossos sentimentos em relação a ele logo mudariam!

Além disso, o exemplo do bebê e do adulto é bastante eloquente: nenhum de nós julga um bebê comparando-o com um adulto. Por exemplo: "Como ele anda mal! Além disso, ele não fala direito! Olha só, ele nem consegue segurar sua colher, hahaha!". Nós vemos esse bebê pelo que ele é.

Somos capazes de observar sua maneira de ser e seus comportamentos objetivamente, sem para isso julgá-lo, uma vez que ele ainda é incapaz de fazer certas coisas, não é mesmo?

Então, o que nos impede de fazer o mesmo nas outras situações relacionais?

A terceira via

O que nos autoriza, partindo da observação de onde estão as pessoas que nos cercam, em sua maneira de ser e agir, a afirmar como elas deveriam ou não deveriam ser?

O que nos impede, ao mesmo tempo constatando objetivamente aquilo que elas são hoje, de aceitá-las como elas são, sem julgá-las, mas tampouco sem ver nelas algo de definitivo ou plenamente realizado?

Para os bebês, existem normas de desenvolvimento em função de sua idade: para seu peso, sua altura, o desenvolvimento de suas diversas faculdades, etc. É com essa base que profissionais podem detectar eventuais retardos, deficiências, etc. Mesmo assim, isso não é chamado de julgamento; é simplesmente uma observação, seguida da aplicação de auxílios e apoios necessários.

Mas, em se tratando da evolução da alma humana, onde estão as "normas"?

Quem de nós pode afirmar em que estágio de sua evolução fulano ou beltrano deveria estar?

Com qual direito, e seguindo quais critérios, nós medimos e julgamos o nível que os outros deveriam ter atingido?

Se acreditamos na biologia: o que sabemos dos genes que tal pessoa herdou no nascimento?

Se acreditamos na educação: o que conhecemos do meio no qual ela cresceu, dos valores que ela herdou ou não?

Se somos adeptos da reencarnação: o que sabemos da idade dessa alma, do que ela viveu em suas vidas anteriores, das lições que ela tem para aprender hoje?

Independentemente da filosofia ou da visão espiritual que adotamos, sempre chegamos à mesma conclusão: sim, sou capaz de observar e de mostrar discernimento, posso olhar objetivamente a pessoa que tenho à minha frente; mas será que isso me dá o direito de julgá-la, comparando-a com a versão ideal que forjei dela para mim, e de jogar sobre ela toda espécie de sentimentos negativos? É claro que não.

Ou, pelo contrário, será que devo me satisfazer passivamente com o estado atual das coisas? Também não.

Devo olhar para uma terceira via: aquela que por um lado vê as pessoas como elas são, que as aceita tal como elas são, e que por outro não deixa de procurar melhorar as coisas ou de defender os valores e ideais nos quais acredita.

Admito que não é fácil. É algo ambicioso, é verdade. Mas com o tempo é a única via que realmente funciona, tanto para nós quanto para os outros.

Uma coisa é certa: não posso mudar aquilo que não aceito. É preciso começar aceitando as coisas e os seres como eles são, se quisermos levá-los mais longe.

E há uma segunda coisa igualmente certa: se eu peço aos outros que eles mudem porque eu não os aceito, porque eu não os suporto, não conseguirei nenhum resultado. Ninguém vai mudar simplesmente para aplacar minha raiva, minha irritação e meus julgamentos. Os outros só mudarão por si mesmos, porque é do interesse deles, não por nós: e isso só será possível se conseguirmos aceitá-los, ou até amá-los, tal como eles são no presente.

Lembre-se

A via do não julgamento é, portanto, uma via bastante estreita que exige discernimento, que não oferece nenhuma solução simplista e fácil... mas que, exatamente por isso, pode fazer com que você avance bastante em seu próprio caminho de vida.

Gandhi, puro exemplo de não julgamento

Na história recente, creio que o Mahatma Gandhi tenha nos dado uma magnífica ilustração daquilo que pode ser esse não julgamento. Ele era tudo menos um capacho! Ele tinha uma visão muito completa e objetiva da situação e das pessoas que enfrentava. Mas nem por isso ele julgou o Império Britânico, ele não o odiou nem detestou. Ele partiu da realidade daquilo que era seu país na época, tomando o cuidado de conhecê-lo profundamente, assim como conheceu a cultura e a mentalidade inglesas. Ele nem idealizou a Índia nem demonizou os ingleses. Além disso, ao se basear na visão elevada que tinha daquilo que seu país podia se tornar, ele colocou em prática os meios que conhecemos – resistência passiva, não violência, etc. – para caminhar nesse sentido, sem jamais ceder ao ódio, ao desprezo ou à violência, nem à covardia, à aceitação servil ou à indiferença.

Conta-se que um dia uma senhora havia levado seu jovem filho para ver Gandhi, a quem ela disse: "Mahatma, meu filho está se entupindo de doces! Ele não me ouve. Você pode lhe dizer para parar de comer tanto açúcar?". Gandhi lhe respondeu que voltasse dentro de três semanas. Surpresa com essa resposta, a mãe de fato voltou com seu filho para vê-lo três semanas depois.

O Mahatma então se dirigiu à criança, olhando nos seus olhos, e lhe disse com firmeza: "Você precisa parar de comer doces!". Espantada, a mãe da criança perguntou: "Por que não lhe disse

isso três semanas atrás?". E Gandhi teria lhe respondido: "Porque há três semanas eu ainda comia açúcar".

Se é verdadeira ou não, essa anedota ilustra aquilo que fez a força da ação de Gandhi: ele não exigiu nada dos outros ou da Índia que ele não tivesse primeiro realizado em si mesmo. Foi porque que venceu o julgamento, o ódio e a violência em si que ele pôde, em seguida, servir de exemplo para guiar seu povo nesse sentido.

Da mesma forma, nosso desejo de ajudar os outros a se tornarem melhores (se é que nós sabemos realmente aquilo que é melhor para eles...) se realizará proporcionalmente à forma como nós conseguirmos progressivamente nos libertar de nossos próprios demônios internos. Então, sem se tornar um capacho, às vezes é sábio conceder a si mesmo o número de meses (ou de anos) necessários para concentrar suas vontades de mudança sobre si mesmo, antes de tentar mudar o lado de fora, baseando-se em uma nova consciência interna.

Você escolhe!

Para este 12º dia, não acrescentarei um novo exercício aos que já foram propostos até agora, pelo simples motivo de que a discussão que precede não se presta a uma aplicação pontual simplista. Ela pede mais uma reflexão ou um aprofundamento que você pode fazer em seu ritmo e à sua maneira.

Para variar, prefiro propor que você mesmo escolha que exercício ou que combinação de exercícios - entre aqueles que você preferiu até o momento - deve colocar em prática durante este dia.

Sem mesmo consultar os capítulos anteriores, simplesmente com base em sua experiência e suas lembranças, encontre, sinta qual(is) exercício(s) lhe conviria(m) hoje. E, acima de tudo, não se esqueça de (re)fazê-los por escrito.

Bom trabalho!

13º DIA

Atribuir sistematicamente uma intenção positiva ao outro

Hoje abordaremos o segundo "fim de semana" de nosso programa (ainda que você não o tenha começado necessariamente em uma segunda-feira). Lembra-se de que para o primeiro "sábado" eu lhe havia proposto algo de mais relaxante, mas ainda assim muito poderoso, com *Le simple art de bénir*, de Pierre Pradervand (6º dia, ver p. 40)? Para este segundo "sábado", eu lhe sugiro que aprofunde um processo que já abordamos no 5º dia, que pode transformar consideravelmente seu funcionamento cotidiano, e sobretudo ajudá-lo a julgar menos.

Das suposições negativas...

Há muito tempo me dei conta de que grande parte dos julgamentos que pronunciamos contra os outros não são feitos sobre o que eles realmente fizeram ou disseram, mas sim sobre as intenções que atribuímos a eles, ou seja, sobre aquilo que nós supomos que eles quiseram fazer, sobre as motivações que deduzimos.

Por exemplo:

- um colega esbarra em mim no trabalho: "Tenho certeza de que ele fez de propósito!";
- uma caixa me devolve o troco errado: "Ela quis me roubar!";
- etc.

Por acaso, estou na realidade quando funciono dessa forma? Não. Estou no virtual de meus pensamentos, minhas suposições, minhas crenças, minhas hipóteses.

E eu percebo isso? Raramente. O mais frequente é eu tomar minhas suposições por verdades, certezas.

Consequentemente, eu reajo, ficando com raiva, indignando-me, ofendendo-me, entristecendo-me, etc.

Mas a que eu reajo exatamente? Àquilo que o outro de fato fez? Não. Às minhas suposições, às intenções que eu lhes atribuí, ou seja, às minhas próprias intenções projetadas sobre ele! É um círculo vicioso: eu atribuo intenções a você (que, muitas vezes, não têm nada a ver com as suas), depois reajo a elas de forma pessoal. Chamo isso de autismo relacional: a pessoa que tenho diante de mim não é nada além da tela sobre a qual eu projeto minhas próprias histórias, antes de reagir a ela em si!

É possível encontrar em diversos ensinamentos espirituais injunções muito firmes para conter esse comportamento que nos leva a julgar os outros e a nos magoar com base em puras ilusões. *"Never assume!"*, recomendava o Dalai Lama em um discurso em Toulouse. Em outras palavras, "Certifique-se de nunca fazer suposições". É uma recomendação que também encontramos no terceiro compromisso tolteca de Miguel Ruiz: "Não faça suposições".

No entanto, com todo o respeito que devo a essas duas grandes figuras espirituais, encontrei alguns problemas em suas recomendações. Em primeiro lugar, nós vimos na semana passada que nosso cérebro administra muito mal as injunções negativas. Ele tende a entender o inverso daquilo que lhe dizemos. Em segundo lugar: tudo bem, não farei suposições (pelo menos vou tentar!), mas o que farei em vez disso? Não fazer alguma coisa não é um programa; é melhor focar em algo de específico para fazer em substituição. Por fim, e mais importante, eu percebi que o problema não é fazermos suposições (no plural): o problema é fazermos só uma (no singular) e depois acreditarmos que ela é verdade!

Por exemplo:

- a meu colega que esbarra em mim, atribuo uma única intenção: ele fez de propósito;
- à caixa, idem: ela quis me roubar.

Como eu faço uma única suposição, como atribuo uma única intenção, eu acredito nela. E confundo minha suposição com a realidade.

... às intenções positivas

Em compensação, se eu estabeleço para mim que devo fazer no mínimo duas suposições, atribuir no mínimo duas intenções contraditórias ao outro, logo me dou conta de que são de fato suposições (no caso, as minhas). Consequentemente, tenho menos tendência a acreditar nelas e paro de confundi-las com a realidade.

Por exemplo:

- para meu colega: ele fez de propósito ou então estava distraído, ou ele se esqueceu dos óculos;
- para a caixa: ela quis me roubar ou então ela estava cansada, não prestou atenção.

A verdade, que eu descubro assim que faço no mínimo duas suposições opostas (uma negativa e uma positiva), é que eu não sei nada! Não sei por que meu colega esbarrou em mim. Não sei por que a caixa se enganou na hora de me devolver o troco.

Às vezes é possível questionar o outro para ter uma resposta direta da parte dele, em vez de supor e imaginar explicações muito detalhadas; mas, outras vezes, isso não é possível.

Então, tão logo você se surpreenda atribuindo intenções ao outro, pretendendo adivinhar suas motivações, fazendo uma suposição negativa sobre ele, o truque consiste em imediatamente imaginar o contrário.

EU ATRIBUO INTENÇÕES POSITIVAS A TODO MUNDO

O MELHOR MEIO DE DOMINAR ESSE NOVO TRUQUE É OBRIGANDO-SE DURANTE UM TEMPO A ATRIBUIR SISTEMATICAMENTE UMA INTENÇÃO POSITIVA AOS OUTROS, INDEPENDENTEMENTE DE SUAS ATITUDES! FAÇA DISSO UM JOGO E LEVE-O AO EXTREMO: O QUE QUER QUE VOCÊ LEIA NO JORNAL, O QUE QUER QUE VOCÊ OUÇA, QUALQUER QUE SEJA O ACONTECIMENTO QUE VOCÊ TESTEMUNHE, IMAGINE QUAL INTENÇÃO POSITIVA PODERIA TÊ-LO MOTIVADO. PODE SER ALGO ABSURDO E ESDRÚXULO!

POR EXEMPLO: VOCÊ VÊ UM INDIVÍDUO DANDO UM SOCO NA CARA DE OUTRO? ELE DEVE ESTAR RECOLOCANDO O MAXILAR DO OUTRO NO LUGAR, QUE ESTAVA DESLOCADO. VOCÊ OUVE UM OPERADOR DA BOLSA DIZER QUE DESFALCOU UM BANCO EM CENTENAS DE MILHÕES DE DÓLARES? FOI PARA CONTRIBUIR COM A REFORMA DO SISTEMA FINANCEIRO MUNDIAL, AO COLOCAR EM EVIDÊNCIA SEUS ABSURDOS E SUAS FALHAS.

É EXAGERADO, ABSURDO? CERTAMENTE! MAS A REALIDADE MUITAS VEZES NÃO SUPERA A FICÇÃO? O IMPROVÁVEL E ATÉ MESMO O SUPOSTAMENTE "IMPOSSÍVEL" NÃO PARAM DE ACONTECER AO NOSSO REDOR, BASTA LER OS JORNAIS PARA SE CONVENCER DISSO. ENTÃO, POR QUE NÃO DEIXAR SUA MENTE JOGAR ESSE JOGUINHO POR UM TEMPO? POR QUE NÃO AJUDÁ-LA A TROCAR SEU HÁBITO TÃO FREQUENTE DE ATRIBUIR MÁS INTENÇÕES AOS OUTROS, MESMO QUANDO AS INTENÇÕES DELES SÃO TOTALMENTE LOUVÁVEIS, PARA UM DIA CHEGAR AO EQUILÍBRIO: SER CAPAZ DE IMAGINAR O PIOR E O MELHOR E, SOBRETUDO, SABER QUE VOCÊ ESTÁ DE FATO IMAGINANDO, SUPONDO, PROJETANDO, E QUE VOCÊ NÃO ESTÁ NO REAL? NO TÊNIS, QUANDO UM JOGADOR SACA MUITO À DIREITA SISTEMATICAMENTE, SEU TREINADOR LHE SUGERE QUE NÃO SAQUE NO CENTRO, MAS SE ESFORCE PARA SACAR MAIS À ESQUERDA, PARA COMEÇAR: NA VERDADE, ELE SÓ ENCONTRARÁ O CENTRO QUANDO TIVER PRIMEIRAMENTE DETERMINADO ONDE ESTAVAM OS DOIS EXTREMOS, A DIREITA (QUE ELE CONHECE BEM DEMAIS) E A ESQUERDA (QUE ELE PRECISA DESCOBRIR).

Lembre-se

Não estou lhe sugerindo que acredite nas intenções positivas que você encontrará mesmo nos acontecimentos e nas situações mais trágicos! Estou só sugerindo que as imagine, que deixe sua mente considerar pelo menos uma motivação positiva além da negativa que se apresenta sozinha, para evitar o pensamento único, a intenção única, a projeção única, que representam os sulcos mentais nos quais costumamos nos encalhar.

Essa ginástica mental, uma vez dominada, pode evitar várias inflexibilidades, várias fixações infelizes, e fazer com que você descubra o mundo e os outros por uma luz mais equilibrada e mais próxima da realidade, que não para de nos surpreender.

Passe pelo menos um dia inteiro atribuindo intenções positivas a todo mundo. Se necessário, faça disso um jogo com vários participantes, em família ou entre colegas. Force sua mente a adotar esse hábito.

Se o jogo for divertido para você, adote-o por vários dias seguidos, até sentir que um novo hábito se instaurou em você, que você não é mais prisioneiro da primeira intenção negativa que seu inconsciente lhe sussurra para atribuir aos outros.

Uma vez ultrapassada essa primeira etapa, você conseguirá encontrar o equilíbrio e não estará propenso a acreditar na primeira suposição que fizer. Você considerará o melhor e o pior, sem sentir a necessidade de decidir gratuitamente, ao acaso.

Você aceitará mais facilmente a incerteza: existem tantas situações cujas ramificações não conhecemos. Então, por que julgar? Por que não suspender nosso julgamento e conceder ao outro o benefício da dúvida?

Coloque esse par de óculos cor-de-rosa, conscientemente, e divirta-se com ele. Veja o que isso pode levá-lo a descobrir. Você talvez constate que já usava um outro par de óculos, com um olhar filtrado, parcial e deformado sobre a realidade, mas que você não tinha notado até então!

Use a tabela a seguir para anotar suas reflexões e seus roteiros mais divertidos e cômicos. Quem sabe? Talvez depois você tenha a oportunidade de perceber que não estava tão distante assim da realidade!

Minha primeira suposição (negativa)	Minha segunda suposição (positiva)
Exemplos	
Ele quebrou a cara dele.	Ele recolocou o maxilar dele no lugar!
Ele deu um golpe em milhares de pessoas.	Ele colocou em evidência as falhas do sistema bancário e financeiro mundial para que este melhore!
Agora é sua vez!	

14º DIA

Segundo dia de descanso

E agora chegamos ao fim da segunda semana. Foram catorze dias nos quais você corajosamente se lançou nessa escalada na direção das saudáveis alturas do não julgamento. Independentemente de seus resultados até o momento, você já pode se sentir orgulhoso. Não há mal nenhum, pelo contrário, em, de vez em quando, se dar um tapinha nas costas e se parabenizar por aquilo que realizou.

Pessoalmente, por ter crescido em uma cidade impregnada de calvinismo e em uma família na qual se temia que qualquer mínimo elogio ou parabéns pudesse estragar as crianças, a ponto de jamais lhes fazer algum, aprendi tardiamente o quanto uma saudável dose de encorajamento, de validação, de reconhecimento e de elogios reforça com alegria a autoestima, até o momento em que esta acaba dependendo somente de si mesma. Então, reserve um tempo para apreciar o caminho percorrido até agora!

Para este segundo "domingo", ou seja, este segundo dia de relaxamento em seu programa, eu gostaria de enfatizar mais especificamente a positividade, e sobretudo aquilo que vai mudar em sua vida quando você (quase) não julgar mais nem a si mesmo nem os outros.

Como seria uma vida na qual praticamente não houvesse mais julgamentos? Como você a imagina?

Por exemplo:

- Tudo é belo, tudo é maravilhoso, tudo é perfeito.

- Ninguém mais comete nenhum erro. São todos irrepreensíveis.
- Estamos cercados só por pessoas de qualidade, e elas também estão em uma jornada pessoal.

Não seria exatamente assim. Não mesmo, aliás. E ainda bem!

Libertar-se do julgamento

Talvez você duvide. O mundo será sempre o mesmo, os outros também. E mesmo você, de forma geral, será o mesmo. A única diferença – e é uma grande diferença – é que você não reagirá mais da mesma maneira às mesmas coisas, e que suas relações consigo e com os outros não serão mais as mesmas de antes. Então, ainda que nada tenha mudado por fora, tudo terá mudado por dentro.

Por exemplo, acontece com todos nós de sermos estabanados no cotidiano: deixar cair um copo ao esvaziar a máquina de lavar louça; sujar sua camisa comendo espaguete com molho de tomate; derrubar sua torrada no chão (de preferência com a manteiga para baixo); etc. De minha parte, os autojulgamentos jorravam com qualquer uma dessas faltas de destreza: "Que cretino!", "Mas que desastrado!", e assim por diante. Eu me julgava com extrema severidade, ficava com raiva de mim mesmo, me enchia de críticas e demorava vários minutos até voltar a ficar mais ou menos centrado. E adiantava algo? Aquilo me tornava melhor? Por acaso, era bom para as pessoas à minha volta? Não, não e não.

Hoje ainda me acontece de ser desastrado, mas a grande diferença é que, ao cometer as mesmas gafes de antes, eu já não me julgo tanto. Eu conserto o que fiz e aproveito para me conscientizar daquilo que me fez errar, para agir melhor da próxima vez. E eu simplesmente mostro indulgência para comigo mesmo. O resto – os julgamentos, a culpabilização, etc. – é simplesmente inútil, e passo muito bem sem eles.

Estou melhor assim. E acho que tenho melhorado mais rapidamente desde que parei de me julgar por essas besteiras.

Em seu notável e atípico livro sobre educação infantil, *Le concept du continuum*,[1] Jean Liedloff conta como ela descobriu conceitos de educação entre uma tribo perdida da Amazônia, enquanto procurava ouro em um rio. Uma anedota me impressionou nessa obra: enquanto ela acompanhava quatro ou cinco homens que carregavam um tronco nos ombros, em um caminho que serpenteava a floresta, através das colinas, eles de repente escorregaram e caíram no acostamento da estrada, deixando cair o tronco... Eles soltaram então uma imensa gargalhada! Não proferiram uma série de xingamentos e grosserias; não se acusaram uns aos outros nem a si mesmos – eles morreram de rir! Como crianças! Essa reação aturdiu Jean Liedloff: ela logo viu o contraste com a maneira como nós teríamos reagido à mesma situação em nossa cultura ocidental.

Quando você para de se julgar, quando para de julgar os outros, as falhas, as gafes, os erros continuam acontecendo às vezes, mas a maneira de reagir a eles muda completamente. Os julgamentos, com a dose de emoções que os acompanha, distorcem completamente nossa apreciação da situação: assim como a água que magnifica, a emoção exagera e amplifica tudo. Portanto, quando ficamos livres do julgamento, vemos as coisas mais calmamente, conseguimos nos conscientizar dos nossos eventuais erros (ou dos do outro) e nos corrigir (ou oferecer ao outro um retorno mais justo, por ser menos emocional).

Deixar de se julgar ou de julgar os outros não se dá somente em grandes problemáticas; muitas vezes ocorre em uma série de pequenas situações anódinas: determinada palavra, determinado gesto, determinado erro ou gafe, determinado atraso, determinada irritação, etc. Quando conseguimos vivenciar esses múltiplos

---

[1] Jean Liedloff, *Le concept du continuum* (Genebra: Ambre Éditions, 2006).

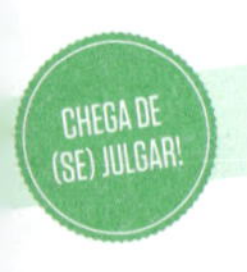

incidentes cotidianos sem que eles nos coloquem à beira de um ataque de nervos, quando vemos nossa raiva, nossa humilhação ou nossa dificuldade cedendo lugar à indulgência, a um sorriso ou a uma empatia plena de compreensão – ao passo que as situações externas são as mesmas que nos irritavam antes! –, pensamos como realmente progredimos!

Das primeiras vezes, você provavelmente ficará surpreso ao ver que é possível vivenciar as mesmas situações de antes sem ter de sofrer as mesmas consequências internas. É nesse momento – e somente nesse momento – que se tornará verdade para você, talvez pela primeira vez, essa verdade dita e repetida nos livros de desenvolvimento pessoal e de espiritualidade, segundo a qual somos nós que devemos mudar prioritariamente, e não os outros. Prova disso é justamente que, ao mudar a si mesmo, o contexto externo e os outros permanecem como antes, mas para nós tudo fica diferente.

Um caminho para a liberdade interior

Você descobrirá em si mesmo um espaço de liberdade interna desconhecido. Foi essa mesma liberdade que encontraram, em uma escala bem superior, Gandhi, Mandela e Viktor Frankl, durante seus anos de prisão ou campos de concentração. Aliás, Viktor Frankl havia desenvolvido um hábito muito interessante e eficaz para viver de outra forma as condições de vida extremas às quais estava sujeito em Auschwitz, Buchenwald e Dachau: ele imaginava sempre estar revivendo cada dia, cada situação pela segunda vez! Como uma peça de teatro na qual eu estivesse representando novamente a mesma cena. Logo, se penso estar vivendo novamente uma situação já conhecida, eu me concentro na maneira como quero vivê-la, ou seja, na margem de liberdade que tenho em minha interpretação.

Sim, há parâmetros que não domino: as pessoas que estão lá, o contexto externo, etc., mas, como eu decido representar meu papel, como vou recitar meu texto dessa vez, tenho total liberdade! Ninguém pode me privar disso!

Já assistiu ao filme *Feitiço do tempo*?[2] Sou fã dele! Devo ter visto umas dez vezes. O herói se vê vivendo exatamente o mesmo dia, dia após dia. Ele acorda sempre no mesmo dia, na mesma hora, ouve as mesmas informações no rádio, e as pessoas se comportam exatamente da mesma maneira que na véspera. Só que ele pode mudar de atitude. Ele pode decidir fazer ou dizer outra coisa, cada vez que recomeça esse dia eterno. O grande mérito desse filme, a meu ver, altamente filosófico, que esgota com talento todos os recursos dessa temática, é que ele faz com que o protagonista passe por todos os estados e estratégias possíveis e imagináveis: rabugento, revoltado, oportunista, manipulador, sedutor, suicida... antes de por fim descobrir sua verdadeira liberdade interior. E é quando ele enfim consegue viver esse dia com essa liberdade e essa autenticidade, da melhor maneira possível, tanto para ele quanto para os outros, que ele finalmente consegue escapar dele e retomar o curso normal de sua vida.

De uma certa maneira, podemos fazer parecido: à noite podemos repassar o filme do nosso dia e fazer diferente. E se eu não tivesse respondido daquele jeito à minha colega? E se eu pudesse ter ouvido de outra forma minha mulher quando ela voltou do trabalho? Quais são as diversas maneiras como eu poderia ter agido ou reagido a cada uma das situações delicadas deste dia? Onde se encontra minha margem de liberdade, de manobra? Se eu paro de acreditar que o que os outros dizem ou fazem é que me faz reagir (o que me reduz a um *status* de autômato, de máquina de reações previsíveis), quais são as possibilidades reais que se oferecem a mim para agir de outra maneira em cada uma dessas situações?

---

[2] Dirigido por Harold Ramis em 1993, com Bill Murray e Andie MacDowell.

Uma vida sem julgamentos é, antes de tudo, uma vida com maior liberdade: chega de reações emocionais automáticas e descontroladas. Tenho escolha. Posso fazer isto ou aquilo. Ficar ou ir. Replicar, responder ou simplesmente escutar, compreender.

É praticando nos pequenos detalhes do dia a dia, nas pequenas irritações e mesquinharias, nos incidentes menores que pontuam o dia, que você desenvolverá essa liberdade interior que lhe permitirá algum dia abordar situações que normalmente seriam mais perturbadoras, com a mesma margem de manobra interna. Como um músculo que se fortalece com halteres leves no começo e gradativamente mais pesados, você fortalecerá essa liberdade interior começando por exercê-la em situações relativamente triviais, antes de conseguir mantê-la mesmo em casos muito pesados.

Lembre-se

Viver sem julgamento não é viver outras situações, mas sim vivenciar as mesmas de forma diferente. Se você muda, sua relação com o mundo e com os outros também muda. Ainda que por fora tudo seja parecido, as relações que você estabelece não serão mais as mesmas. Consequentemente, como suas relações pessoas mudaram, você tem a impressão de que por fora tudo mudou também!

Por exemplo: antes, eu não suportava o comportamento de um determinado colega. Ele me irritava e eu sempre precisava fazer muito esforço para ficar supostamente zen, sendo que eu morria de vontade de lhe dizer algumas verdades. Mas, a partir do momento em que me libertei de meus julgamentos, consegui me ver na presença do mesmo colega, ainda com os mesmos comportamentos, sem que isso desencadeasse em mim algo de negativo ou de perturbador.

(CONT.)

Observação: estamos tão acostumados a acreditar que nosso estado interno é determinado pelo exterior - por aquilo que os outros dizem ou fazem - que meu primeiro reflexo foi acreditar que era ele que havia mudado! Mas não: fui eu que de fato me transformei e que consequentemente modifiquei a relação que tinha com ele. Aliás, é algo que você certamente já viveu no dia em que se apaixonou. De repente, o mundo inteiro parece ter mudado ao seu redor: tudo é belo, tudo é maravilhoso, você se sente mais tolerante, você ama todo mundo, inclusive aqueles que não suportava até dois dias atrás, não é mesmo?

Em um segundo momento, como por acaso, nossa capacidade de viver de outra maneira as mesmas situações de antes acaba atraindo outras pessoas e outras situações em nossa vida. O exterior acaba de fato mudando, mas como resultado de uma mudança que iniciamos primeiramente em nós mesmos.

O ritual semanal

Este segundo "domingo" (ou esse novo múltiplo de 7, se você tiver começado o programa em outro dia que não uma segunda-feira!) é novamente a ocasião para fazer o balanço da semana que passou e depois queimar (ou recortar) os julgamentos que escaparam e que você continuou anotando em papéis na ocasião dos exercícios propostos durante toda esta segunda semana.

Esse ritual é importante por mais de um motivo. Primeiro, porque ele pontua seu programa a cada sete dias. Ele marca um momento à parte, um dia de folga, diferente dos outros. Um instante de recuo, de descanso. Não subestime sua utilidade, apesar de seu caráter passivo, uma vez que é justamente o fato de inserir esse tempo de pausa que faz sua força e potencializa a ação dos demais dias.

Esse ritual é igualmente importante por ser justamente um ritual, ou seja, uma passagem entre cada semana. Os rituais em nossa vida, desde os mais triviais até os mais sagrados, existem para marcar o limite entre duas etapas, dois mundos ou dois meios diferentes. Em muitas culturas, portanto, ritualizam-se momentos como a entrada na adolescência ou na idade adulta, a aposentadoria, a entrada na vida marital ou a passagem para o *status* de pai, etc. Um ritual é um marco em nosso caminho, e é graças a esses marcos, justamente, que distinguimos melhor as etapas e o desenvolvimento: sem marcos, o caminho perderia suas referências.

Por fim, esse ritual é importante porque o fogo sempre representou um agente de transformação, de transmutação, uma energia que purifica, que liberta. Ao queimar os julgamentos da semana, ao vê-los partindo em chamas e fumaça, ainda que por alguns instantes, você estará executando um pequeno ritual que manifesta muito concretamente diante de seus olhos esse desaparecimento dos julgamentos ao qual você aspira.

Faça isso com calma, com consciência. Ligue em pensamento a energia dessa chama à energia do amor: fala-se em chama da paixão, amor ardente, deixar-se consumir um pelo outro... A ligação entre fogo e amor é onipresente em nossas metáforas cotidianas e na poesia. Então, ao colocar fogo nos julgamentos da semana, peça internamente à energia do amor para que inflame seu coração e consuma seus julgamentos. A imagem desses instantes em que você assistir a esses papéis queimarem o acompanhará durante toda a próxima semana: é um símbolo vivo, um símbolo forte, que o ajudará a prosseguir em seu caminho na direção dos picos do não julgamento.

Outra alternativa, é claro, caso seja impossível ou complicado demais o uso do fogo, é usar o afiado poder das tesouras - ou de um estilete (como na semana passada) –, aliando a elas, também, o simbolismo de cortar tudo aquilo que ainda o liga ao julgamento, de libertá-lo desses laços negativos para desenvolver sua liberdade interna. Recorte suas folhas conscientemente, imaginando que você está também cortando todos os laços invisíveis que o ligam a antigos hábitos incompatíveis com seu desejo de não mais julgar. Mas nem por isso vá se sentir culpado!

Por fim, relaxe!

Assim como no 7º dia, quando terminar sua leitura, seu balanço e seu ritual, descanse, não pense mais neste programa, coloque-se no modo *off*, em repouso. Dedique-se ao lazer, às suas outras atividades eventuais. Não anote nada, relaxe.

Esse tempo de digestão, de assimilação, esse tempo de abandono dos esforços conscientes para deixar o inconsciente assumir é necessário e importante. Pulá-lo não fará com que você avance mais rápido, muito pelo contrário.

Então, aproveite plenamente este segundo dia de descanso em seu programa!

3ª SEMANA

"SE COMPREENDÊSSEMOS, NÃO CONSEGUIRÍAMOS MAIS JULGAR."

ANDRÉ MALRAUX

15º DIA

Chega de autojulgamento

Eu não ficaria espantado se uma das razões principais – senão a razão fundamental – pela qual você iniciou este programa de 21 dias, cuja terceira e última semana estamos começando, fosse conseguir se libertar de seus próprios julgamentos contra si mesmo. No meu caso pessoal, chegou um dia em que me cansei de ser continuamente meu próprio juiz mais impiedoso. É verdade, afinal: a que tipo de vida nós nos condenamos quando a cada instante temos na cabeça um inquisidor sem piedade que nunca deixa passar nada? Quando um erro ou uma falha não são plenamente expiados (e ainda menos perdoados), de tal forma que consigamos continuar indefinidamente nos condenando por eles e nos censurando mais e mais por coisas que foram ditas ou feitas há dez, vinte, trinta anos ou mais? Essa vida é um inferno, nada menos do que isso.

Sair do inferno, portanto, é parar de se julgar sem parar. A interrupção dos julgamentos contra si mesmo, aliás, é a pedra angular de todo o processo.

Por quê?

Primeiro, porque, enquanto eu me julgar, estarei exposto aos julgamentos dos outros. Se eu me julgo um inútil, ficarei muito sensível ao mesmo julgamento que emane de meus amigos, parentes ou colegas. Qualquer crítica vinda deles penetrará sem resistência por essa falha escancarada que há em minha autoestima, como um buraco no escudo de um cavaleiro.

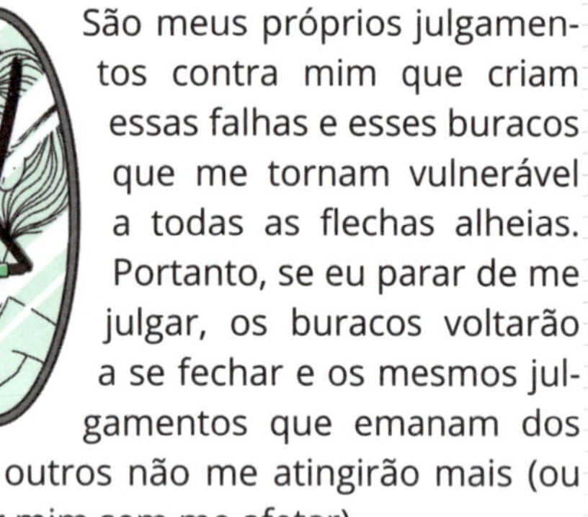

São meus próprios julgamentos contra mim que criam essas falhas e esses buracos que me tornam vulnerável a todas as flechas alheias. Portanto, se eu parar de me julgar, os buracos voltarão a se fechar e os mesmos julgamentos que emanam dos outros não me atingirão mais (ou passarão por mim sem me afetar).

Em segundo lugar, porque, se eu me julgo (e consequentemente me torno vulnerável aos julgamentos dos outros), também vou julgar os outros. Farei aos outros as mesmas críticas que dirijo a mim mesmo. Não suportarei neles aquilo que não suporto em mim. É lógico, é evidente: esses são fenômenos totalmente normais de ressonância, de eco, de efeito espelho.

Tudo isso forma um círculo vicioso aterrador: eu me julgo, então fico sensível ao julgamento dos outros, então também julgo os outros e, como eu me autorizo a julgá-los, temo o julgamento deles, e então me julgo ainda mais impiedosamente, e assim por diante. Socorro!

Como acabar com esse pesadelo?

Há vários caminhos possíveis.

Com que direito as pessoas se julgam assim, tão impiedosamente?

Um caminho que gosto de utilizar em minhas oficinas sobre o perdão, por ele sempre surpreender um pouco os participantes, é aquele que consiste em colocar em evidência o tremendo orgulho que há em se crer habilitado a se julgar de maneira tão intransigente. "Orgulho? Como assim, orgulho? Pelo contrário, me acho inútil, sou patético, não valho nada, não paro de me desvalorizar, de me criticar!" Está vendo? Na maior parte do tempo as pessoas não distinguem o orgulho implacável que há em ser para si mesmo o juiz definitivo e indiscutível, ou seja, em se colocar acima de qualquer outra instância, seja ela humana, seja ela divina.

Por acaso a fúria dos céus se abateu sobre você? Ou você subitamente foi tomado pelas piores doenças? Por acaso todo mundo o amaldiçoa ou o rejeita? Não, evidentemente não. Na maior parte do tempo, apesar dos erros pelos quais nos criticamos com tanta virulência, estamos bem vivos, até em boa saúde, cercados de afeição e da estima de amigos e parentes. A vida nos apoia. O amor está presente em nossa vida. Podemos agir, crescer, evoluir, reparar eventuais erros, aprender lições com nossa experiência, seguir com nosso caminho na vida.

Então, qual o sentido desse tribunal? Com qual direito você se julga dessa forma? Em nome de que código moral ou penal, em nome de quais regras de conduta (redigidas quando e por quem?), você se autoriza a exercer contra si mesmo um julgamento tão impiedoso assim? Quem ela acha que é, essa voz que o acusa assim dentro de sua cabeça? E que motivos há para acreditar nela, conferir-lhe qualquer autoridade e submeter-se a seu julgamento? Francamente!

Se você reservar um tempo para se fazer essas perguntas, provavelmente constatará duas coisas:

- Primeiramente, é de fato um orgulho oculto que nos impede de admitir em total modéstia que acontece de nos enganarmos, de cometermos erros como todo mundo. Um pouco de humildade nos levaria simplesmente a dizer: "Certo, me enganei, não é bom, mas também não é gravíssimo. Tratemos de ter uma visão justa das coisas, e sobretudo vamos ver o que podemos fazer para melhorar da próxima vez". Um de meus mentores costumava dizer: "A culpa é o culto do diabo". Isso é tão verdadeiro!

Nós nos julgamos tão duramente que acabamos nos afundando inutilmente na culpa, proibimo-nos de mudar e de nos reerguer após uma queda. A quem ou a que uma atitude como essa beneficia? Certamente não ao florescimento do melhor em nós.

- Em segundo lugar, você se dará conta de que – para se julgar – aplica um código moral e penal cuja proveniência exata você ignora e que é razoavelmente arbitrário. Ao se aprofundar, você provavelmente descobrirá que este livro de leis foi transmitido em parte por seus pais, em parte pela sociedade, talvez por sua religião, e que ali se misturam elementos muito diferentes, de valor discutível. Você quer continuar aplicando-o cegamente, por hábito? Ou prefere submetê-lo a uma reflexão profunda quanto à sua validade e mudar as regras que você não endossa?

Às vezes, a fim de parar de se julgar é necessário simplesmente se conscientizar de que o juiz que se manifesta em nós não tem nenhuma autoridade, a não ser aquela que conferimos a ele! Com qual direito ele me julga? Com nenhum direito absoluto, de qualquer maneira. Então, eu o destituo de suas funções, retiro o crédito que eu concedia a seus julgamentos.

Discernimento contra julgamento, por si mesmo também

Parar de se julgar também pode consistir em saber fazer a distinção que já sublinhamos entre discernimento e julgamento (ver p. 24). É, então, ser capaz de discernir objetivamente os eventuais erros ou falhas que tenhamos cometido, a distância entre o objetivo fixado e o que foi atingido no fim, sem por isso se encher de críticas, sem ficar com raiva de si mesmo ou se odiar, sem se deixar levar pelas emoções negativas. O discernimento nos ajuda a ver o que há para ser mudado, melhorado; enquanto o julgamento, com seu cortejo de emoções negativas, deforma nossa visão, faz com que as coisas pareçam piores do que são, nos condena e acaba nos impedindo de avançar.

O discernimento é o meio-termo ideal entre o relativismo moral que desculpa tudo e nega até a existência de um erro ou de uma falha e o julgamento tal como o praticamos habitualmente, que, não contente em observar esse erro ou essa falha, vai acompanhá-lo de um dilúvio de emoções destruidoras voltadas contra si mesmo.

O discernimento permite que você aceite mais facilmente ver onde se enganou, porque você não vai se criticar inutilmente; pelo contrário, vai utilizar seus erros para crescer e progredir. No fundo, chega a ser a única maneira de realmente progredir. A frouxidão moral – solução desajeitada para evitar se julgar – nos conforta naquilo que somos, nos justifica de maneira duvidosa e não nos dá nenhum motivo para melhorarmos, nem progredirmos. Quanto ao julgamento, no qual o emocional vem perverter o discernimento em seus fins, ele nos condena e nos destrói tanto que nos corta as pernas e nos prega no lugar. Então, essas são as duas armadilhas, os dois extremos que devemos evitar.

Neste primeiro dia da última semana de nosso programa, eu o convido a mais uma vez adotar o reflexo de anotar todos os dias (isso é muito importante!) todos os julgamentos (e, sim, eles certamente lhe escapam às vezes!) que você faz sobre si mesmo e sobre os outros.

DESMASCARE E DESTRONE SEU JUIZ

EU LHE PROPONHO AQUI QUE UTILIZE OS EVENTUAIS JULGAMENTOS QUE VOCÊ AINDA SE SURPREENDA EMITINDO CONTRA SI MESMO PARA FAZER UMA PAUSA CONSCIENTE E SE FAZER UMA OU OUTRA DAS SEGUINTES PERGUNTAS:

- QUE DIREITO EU TENHO DE ME JULGAR ASSIM?
- QUEM É QUE ME AUTORIZA A ME MOSTRAR TÃO DURO, TÃO IMPIEDOSO COMIGO MESMO?
- O QUE SE ESCONDE POR TRÁS DESSA ATITUDE? UMA FORMA OCULTA DE ORGULHO, DE ARROGÂNCIA?

- De onde herdei as regras e as leis das quais se serve esta voz em mim para me julgar? De meus pais? Da sociedade? De qual outro meio?
- Vou continuar dando valor a elas?
- Vou confirmar meu juiz interno em suas funções? Ou vou destroná-lo?
- E se eu simplesmente mostrasse discernimento em relação a meus atos? E se, sem frouxidão e sem julgamento, eu só olhasse para o que aconteceu e as conclusões a se tirar disso para melhorar a mim mesmo e progredir no futuro?

Você pode fazer esse exercício bem rapidamente, sem que ninguém perceba, onde quer que você esteja. Para ajudá-lo, você pode escolher entre:

- escrever uma pequena letra "D" (de discernimento) na mão esquerda: ela lhe servirá de lembrete durante todo o dia;
- usar um anel ou uma pulseira, mesmo baratinha, que será reservada estritamente para esse uso: será seu acessório do discernimento, seu talismã contra o julgamento e a frouxidão moral. Além disso, você pode mantê-la para além desse dia, se constatar - como tenho certeza - que isso realmente o ajuda a manter a referência do discernimento, evitando as duas armadilhas mencionadas anteriormente.

Lembre-se

Quanto menos você se julgar, menos inclinado ficará a julgar os outros.

Quanto menos você julgar os outros, menos temerá os julgamentos deles contra você.

Mas nem por isso você cairá nessa paródia de não julgamento que é o relativismo excessivo ("tudo é relativo, tudo é igual, tudo é bom, tudo é perfeito..."), pois terá aprendido a desenvolver o seu discernimento, esse verdadeiro discernimento que avalia cada coisa com ainda mais precisão e lucidez pelo fato de não estar carregado de nenhuma emoção negativa, mas que casa muito bem com esse amor por si que, sozinho, nos permite crescer e realizar todo nosso potencial.

Encontrar a qualidade escondida por trás do aparente defeito

No leque de ideias e ferramentas que apliquei em diversos momentos de minha vida para avançar na via do não julgamento, há uma que aprecio particularmente. É aquela que consiste em encontrar qual qualidade (muitas vezes insuspeita) se esconde por trás de determinado defeito evidente que não suporto no outro. Esse exercício me ensinou a discernir a característica particular de tal pessoa que se manifesta tanto do lado da luz, como uma "qualidade" que aprecio, quanto do lado da sombra, como um "defeito" que me incomoda.

Frente e verso

Eis uma verdade elementar, mas que ninguém nos ensina: nossos supostos defeitos e qualidades são somente a frente e o verso de uma mesma moeda, de um único e mesmo traço de personalidade. Além disso, eles são tão indissociáveis quanto a face iluminada e a sombra projetada por uma mesma pessoa. Ali onde cremos ver duas coisas totalmente distintas, há somente uma única e mesma realidade, mas que pode se manifestar de duas maneiras diferentes, como uma faca que pode tanto cortar um pão quanto ferir alguém.

Além disso, ignorar essa verdade muitas vezes leva a querer combater tal defeito – em nossos filhos, por exemplo –, correndo o

risco de acabar destruindo a qualidade que é sua contraparte! Acontece até de confundirmos os dois. Por exemplo, dizem para as crianças que "a curiosidade matou o gato". Mas isso é mentira. É a indiscrição, ou seja, a curiosidade por aquilo que não nos diz respeito, que é um defeito; em outras palavras, a contraparte negativa de uma saudável curiosidade. Ao querer combater a indiscrição, podemos acabar matando qualquer forma de curiosidade e nos ver alguns anos mais tarde com um filho que não se interessa por mais nada!

Como evitar que se jogue fora o "trigo" com o "joio", que se abafe uma qualidade ao querer suprimir um defeito? Justamente identificando a cada vez os dois, ou seja, buscando por baixo do aparente defeito qual a qualidade dormente.

É um exercício às vezes difícil no começo – uma vez que estamos tão pouco acostumados a ligar os pares de qualidades e defeitos –, mas que nos oferece inúmeros benefícios:

- Ele nos permite, mais uma vez, não sermos ciclopes que só veem metade das coisas, mas sim discernir as duas facetas de um mesmo traço de personalidade, do lado da sombra e do lado da luz.
- Em vez de criticar tal defeito ou de combatê-lo desajeitadamente, esse exercício permite que aprendamos a discernir o traço de personalidade do qual ele emana e a ressaltar quais usos positivos também podem ser feitos dele. Por exemplo, por trás de um espírito crítico particularmente negativo se esconde uma capacidade de análise e de discernimento que também pode ser focada com sucesso em questões positivas.
- Por fim, em relação à temática deste livro, este exercício nos permite não reduzir os outros aos defeitos aparentes que às vezes nos apresentam, mas sim distinguir também neles a luz e as qualidades latentes, e favorecer a expressão delas.

Estou lembrando aqui o exemplo muitas vezes citado de um casal cujo homem era quinze anos mais velho do que a mulher: durante a fase apaixonada do início, este exaltava o lado ingênuo e espontâneo de sua mulher, enquanto esta admirava a estabilidade e o senso de organização de seu marido. Alguns anos mais tarde, o senhor agora se desolava com a ingenuidade e o lado infantil de sua mulher, enquanto ela lamentava a rigidez dele e seu ódio por surpresas. Teriam os dois mudado tanto assim durante esses poucos anos? Não, eram os mesmos traços de personalidade fundamentais, dos quais no começo eles só discerniram o lado da luz, e dos quais mais tarde só viram o revés, o lado da sombra.

Associar a sombra à luz

Por que, então, não adotar o hábito de detectar imediatamente as duas facetas dos traços que observamos nos outros? Se eu descubro determinada qualidade, logo procuro o defeito correspondente que poderia se manifestar em certos momentos: isso evitaria que eu fosse ingênuo e me deixaria mais atento em minhas relações. Se é o defeito que me salta aos olhos primeiro, eu me esforço para descobrir a qualidade que o acompanha, cuja expressão poderei favorecer de forma mais frequente ou mais forte.

Abro aqui um parêntese. Sempre adorei ler biografias de personalidades políticas, artísticas, científicas ou espirituais. Ao longo dos doze últimos meses, por exemplo, li as de Carl G. Jung (o psicanalista suíço),[1] de Steve Jobs (o fundador da Apple)[2] e de Winston Churchill (primeiro-ministro britânico durante a Segunda Guerra Mundial).[3] O que me espanta na descoberta de todos os meandros de suas vidas é justamente esse laço indissociável entre as melhores qualidades e os piores defeitos de cada uma dessas

[1] Deirdre Bair, *Jung: une biographie* (Paris: Flammarion, 2007) [título em português: *Jung: uma biografia*].
[2] Walter Isaacson, *Steve Jobs: la vie d'un génie* (Paris: Le livre de Poche, 2012) [título em português: *Steve Jobs: a biografia*].
[3] François Bédarida, *Churchill* (Paris: Fayard, 1999).

personalidades, sem exceção. A imagem que isso me evoca é a da árvore cujos galhos ficam tanto mais altos quanto mais profundas são as raízes.

Veja Steve Jobs, criador do Mac, do iPod, do iPad, do iPhone, etc. Seu biógrafo oficial, Walter Isaacson, mostra claramente como os mesmos traços de personalidade fundamentais o levaram ao mesmo tempo a ter uma exigência qualitativa e estética absoluta na elaboração de seus produtos e a ser totalmente tirânico e intransigente em suas relações com seus colaboradores e funcionários. Um verdadeiro desastre no plano humano e nas relações! Os testemunhos de seus ex-colaboradores são unânimes: de um lado, eles não aguentavam mais emendar semanas de oitenta horas, serem acordados no meio da noite ou incomodados aos fins de semana, além de serem insultados ou levarem componentes eletrônicos na cara; do outro, a maior parte reconhece que eles nunca teriam desenvolvido seu talento a um tal nível sem essa pressão, e que eles tinham a convicção de estarem participando de uma aventura excitante como só se vive uma vez na vida.

Um pequeno esclarecimento: a meu ver, as qualidades de um ser não justificam seus defeitos. Idealmente, é possível conseguir exprimir cada vez mais seu melhor lado, como mostra a vida de vários santos e místicos, mas isso exige um grande trabalho pessoal, que provavelmente não era a prioridade de um Jobs ou de um Churchill, por exemplo.

Cara e coroa

Então, proponho que você treine em ver ao mesmo tempo as "raízes" e os "galhos" das pessoas ao seu redor, sua cara e sua coroa, sua sombra e sua luz. Para isso, sugiro que você comece pelos seres que conhece melhor, ou seja, seu parceiro, seus filhos, seus irmãos e suas irmãs, seus amigos e/ou colegas de trabalho. Escolha um para começar.

Em uma folha de papel dividida em dois no sentido longitudinal por uma linha vertical, anote em uma coluna as qualidades que você aprecia mais, e na outra os defeitos dos quais você menos gosta.

Enumere essas qualidades e esses defeitos sem uma ordem particular, à medida que eles vierem à mente. Somente em seguida, em um segundo momento, esforce-se para ver quais pares de defeito e qualidade correspondente podem aparecer em sua lista: como uma qualidade em uma linha pode ser ligada por um traço a determinado defeito em outra linha.

Você provavelmente perceberá que os defeitos que nota ou que mais o incomodam nessa pessoa são a contraparte exata das qualidades nela que o seduzem ou que o fazem gostar dela.

Por exemplo, sua filha é de uma credulidade e de uma ingenuidade inimagináveis, das quais os outros se aproveitam, mas ao mesmo tempo é justamente sua facilidade de abrir seu coração e de confiar nos outros, sem preconceitos, que emociona tanto você.

Algo ainda mais perturbador talvez seja o fato de que você descobrirá que, em certos casos, chama de defeito ou qualidade o mesmo comportamento da parte de fulano, dependendo se isso lhe convém ou não, ou se favorece você ou outro!

Por exemplo, você não gosta que seu parceiro chame tanto a atenção nas festas para as quais vocês são convidados, mas você o escolheu exatamente porque o achava brilhante, engraçado e eloquente em seus primeiros encontros a sós. Assim, o que para você é uma qualidade quando estão sozinhos se tornaria um defeito quando estão em sociedade.

Já lhe aconteceu de sentir uma extrema antipatia por alguém, ou até de detestá-lo abertamente, e um dia ver essa aversão se transformar em profunda afinidade e amizade? Quantos filmes e romances não foram escritos sobre esse tema? Isso se deve justamente ao fato de que os grandes defeitos que encontramos no outro, que nos fazem odiá-lo, muitas vezes mascaram grandes qualidades correspondentes que, quando finalmente se revelam para nós, podem provocar uma reviravolta total de nossos sentimentos.

O exercício proposto anteriormente pode, portanto, ajudá-lo a sair do modo "mono" para passar ao modo "estéreo". Ele pode permitir que você distinga melhor todas as nuances de caráter dos outros (assim como as suas, aliás), e troque uma visão

PLANA EM PRETO E BRANCO (OU, PIOR, SÓ PRETA!) POR UMA REPRESENTAÇÃO TODA EM TONS DE CINZA, COM PROFUNDIDADE.

Para terminar, uma questão que talvez tenha passado pela sua cabeça ao ler estas páginas: será que realmente há uma qualidade por trás de todos os defeitos, inclusive dos piores, dos mais atrozes? Meu sentimento e minha experiência me levariam pessoalmente a responder que "sim" a essa pergunta. Mas eu logo acrescentaria que é preferível começar buscando as qualidades ocultas correspondentes aos defeitos relativamente banais ou triviais que você encontra em seus próximos – e já é bastante difícil assim, no começo – antes de se perguntar que misteriosas qualidades estariam dormentes por trás dos comportamentos criminosos de determinado indivíduo ou grupo. Quando você conseguir sistematicamente encontrar a parte luminosa associada às falhas ordinárias que observa nos outros, quando isso se tornar um reflexo e você praticamente não ficar mais inclinado a julgá-los, poderá progressivamente – e sem riscos – tentar procurar também as qualidades latentes naqueles que manifestam comportamentos muito mais negativos.

17º DIA

E se cada um, na verdade, estivesse dando o melhor de si a cada instante?

Em 1998, tive a sorte de publicar (e traduzir) *Os quatro compromissos: o livro da filosofia tolteca*, de Don Miguel Ruiz, e praticamente todos os seus outros títulos desde então. Esse primeiro livro, nos anos que se seguiram, se tornou um *best-seller* internacional, traduzido para quarenta idiomas. Ele influenciou a vida de milhões de pessoas, e até Guillaume Canet fez uma grande referência a ele em seu filme *Até a eternidade*. Mencionarei mais à frente (ver p. 134) uma experiência de perdão que vivi com Miguel Ruiz no México, em 1999, que me ajudou muito a caminhar pelas vias do não julgamento, do qual tirei um ritual que tenho compartilhado em oficinas há vários anos. Mas, para começar, gostaria de dizer algumas palavras aqui sobre o quarto compromisso tolteca, que afirma: "Dê sempre o melhor de si".

Em uma primeira leitura, essa injunção pode parecer um pouco insignificante, ou até "boazinha". Na verdade, quando você realmente entende o que Don Miguel sugere nesses termos simples, constata que é muito mais pertinente e profundo do que possa parecer a uma primeira vista.

Nem frouxo, nem perfeccionista

A meu ver, cumprir o compromisso de sempre dar o melhor de si em sua vida, em todas as circunstâncias, é primeiramente o meio simples de evitar duas armadilhas que nos fizeram cair cedo no autojulgamento.

A frouxidão é a primeira dessas duas armadilhas: se eu faço menos do que aquilo que sou capaz de fazer, por preguiça, por falta de motivação ou descuido, e infalivelmente fracasso em atingir os objetivos que estabeleci para mim, em obter aquilo que desejo (ou em me mostrar à altura das expectativas que meus superiores têm de mim, por exemplo), estarei vulnerável a arrependimentos, remorsos, vou ficar com raiva de mim e consequentemente me julgar. Vou me achar fraco, inútil, incapaz, etc.

O perfeccionismo é a segunda armadilha: se, pelo contrário, eu quero fazer cada vez mais do que minha energia e meu moral me permitem realizar, se eu pressiono meu organismo mais longe do que ele aguenta, cedo ou tarde chega o momento em que me esgoto, não consigo mais ou fico com o moral baixo, e nesse momento fico bem abaixo do meu "melhor"; portanto, novamente me vejo diante de arrependimentos e remorsos. De volta à estaca zero!

Procurar dar o melhor de si é saber, dia após dia, momento após momento, avaliar o que é esse melhor – aqui, agora – e ambicionar só isso: nem mais, nem menos. Não importa o que aconteça depois; mesmo que eu fracasse, saberei que terei dado o melhor de mim. Então, não tenho nenhum motivo para me julgar. Nenhum motivo para ter remorsos. É claro que me esforçarei para melhorar da próxima vez, mas por enquanto sei que realmente dei o melhor de mim. É uma garantia incrível contra o autojulgamento.

Conceder o benefício da dúvida aos outros

Para além do uso que eu fazia a título pessoal desse compromisso tolteca, eu me dei conta de que podia também me servir de uma forma diferente dele, em relação aos outros, dessa vez. De fato, quando eu julgo alguém, quando fico com raiva de uma pessoa por não ter dito ou feito determinada coisa, por exemplo, isso quer dizer que me dou o direito de avaliar aquilo do que a pessoa é capaz: "Ela deveria ter feito isso, não ter dito aquilo, não ter se comportado daquela maneira!". Ah, é? Tenho certeza disso? O que me permite ser assim tão categórico?

E se, na verdade, ela realmente tivesse dado o melhor de si? Certo, os resultados não foram os que eu esperava. Fiquei decepcionado, contrariado. Mas nada impede que essa pessoa realmente tenha agido da melhor forma que podia, certo?

Nesse caso, meus julgamentos e minhas emoções só refletem as ilusões que eu alimento, as expectativas pouco realistas que são as minhas, a minha recusa em aceitar (e apreciar) a realidade e as pessoas tal como elas são. Pois é!

Quando me vejo fazendo algo na minha vida, por acaso estou sempre à altura de minhas próprias expectativas? Por acaso sempre consigo mudar aquilo que gostaria de mudar, ou melhorar aquilo que não me satisfaz? Assim, de imediato, da noite para o dia?

Isso não leva tempo, às vezes? Não é verdade que, mesmo dando o melhor de mim, tenho certas dificuldades em alcançar tão rápido quanto quero a meta que estabeleci para mim?

Vamos além. Por acaso ajuda em algo sentir raiva de mim mesmo, me encher de condenações, me julgar? Por acaso ajuda em algo que os outros fiquem com raiva de mim, fiquem contrariados, irritados, bravos, porque eu não mudo tão rápido quanto eles desejariam?

Não, pelo contrário. Isso contribui para um estresse inútil. Na pior das hipóteses, provoca em mim reações que vão até mesmo retardar a evolução que eu teria conseguido mais facilmente sem isso. É um contrassenso, totalmente absurdo e contraproducente.

O que realmente pode me ajudar é o apoio dos outros (ou o meu), é a confiança que eles têm em minha capacidade de mudar, de avançar e de crescer, ou ainda são as expectativas – ou até as exigências! – carregadas de amor (e não de raiva) que eles têm em relação a mim, que me ajudam a me superar e a caminhar na direção do melhor de mim mesmo, ou seja, expectativas ou exigências desinteressadas, que aspiram ao melhor para mim. Não são expectativas que os outros têm sobre você porque eles não suportam como você é, e nem significa que eles só estejam buscando o bem-estar deles! Vê a diferença?

Então, proponho o exercício a seguir.

"Cada um dá o melhor de si"

E SE, EM VEZ DE TER TANTA CERTEZA, DE SABER EXATAMENTE AQUILO DO QUAL CADA UM É OU NÃO É CAPAZ, E DE SE CRER AUTORIZADO A JULGÁ-LO CASO ELE NÃO ATENDA ÀS SUAS EXPECTATIVAS, VOCÊ SISTEMATICAMENTE LHE CONCEDESSE O BENEFÍCIO DA DÚVIDA? E SE VOCÊ PENSASSE QUE CADA UM ESTÁ DANDO O MELHOR DE SI, A CADA INSTANTE?

QUE RISCO VOCÊ CORRE? O DE IDEALIZAR UM POUCO AS PESSOAS? DE PRESSIONÁ-LAS MENOS? DE QUALQUER FORMA, SE A PRESSÃO QUE VOCÊ COLOCA NELAS DECORRE DE SEUS TEMORES, DE SUA INTOLERÂNCIA, DE SUAS EMOÇÕES NEGATIVAS, ELA NÃO FAVORECERÁ OS RESULTADOS QUE VOCÊ ESPERA DELAS NA MAIOR PARTE DO TEMPO.

NÃO ESTOU SUGERINDO QUE VOCÊ PRATIQUE ESSE EXERCÍCIO PARA O RESTO DA VIDA, MAS SIM QUE O COLOQUE EM PRÁTICA DURANTE O TEMPO QUE FOR NECESSÁRIO PARA LIBERTÁ-LO DA MAIORIA DE SEUS JULGAMENTOS, TANTO CONTRA SI MESMO COMO CONTRA OS OUTROS.

QUANDO VOCÊ CONSEGUIR CADA VEZ MAIS ACEITAR E GOSTAR DA REALIDADE E DAS PESSOAS TAL COMO ELAS SÃO, COM SEUS DEFEITOS, SUAS FALHAS E TODO O RESTO, TAMBÉM CONSEGUIRÁ SE MOSTRAR EXIGENTE EM RELAÇÃO A ELAS COM AMOR, OU SEJA, SEM JULGÁ-LAS. VOCÊ CONSEGUIRÁ ACEITAR AQUILO QUE ELAS SÃO - AO MESMO TEMPO QUE DISCERNE AQUILO QUE ELAS PODEM SE TORNAR - E, COM O APOIO DE SEU AMOR, AJUDÁ-LAS A CAMINHAR NA DIREÇÃO DE SEU MELHOR.

PORTANTO, ELAS SENTIRÃO QUE SUAS EXPECTATIVAS A RESPEITO DELAS NÃO TÊM POR INTUITO SEREM CONVENIENTES PARA VOCÊ, APAZIGUAREM SUAS EMOÇÕES NEGATIVAS OU TORNAREM SUA VIDA MAIS AGRADÁVEL, MAS SIM AJUDÁ-LAS, DE MANEIRA DESINTERESSADA, POR AMOR, EM NOME DO POTENCIAL LATENTE QUE VOCÊ SENTE NELAS. E ISSO FARÁ UM MUNDO DE DIFERENÇA! NESSE CASO, SUAS EXPECTATIVAS SE TORNARÃO POSITIVAS, BENÉFICAS, E A PRESSÃO QUE VOCÊ EXERCER SERÁ ÚTIL E EFICAZ. MAS, ANTES DE ATINGIR ESSE ESTADO, SERÁ TODO O CONTRÁRIO.

Então, pratique esse exercício – partir do princípio de que os outros estão sempre dando o melhor de si, conceder-lhes o benefício da dúvida em vez de atribuir a eles intenções negativas, de julgá-los incapazes, preguiçosos ou o que seja – e faça isso pelo tempo que for necessário para conseguir não mais julgá-los. A energia que você economizará ao deixar de focar os outros será aproveitada para você mesmo dar o melhor de si, dia após dia, e para se libertar de seus próprios julgamentos contra si mesmo.

Lembre-se

Por mais que uma idealização inconsciente e permanente do outro acabe, de maneira inevitável, levando a desilusões cruéis, ainda assim uma idealização consciente e deliberada, à qual nos obrigamos durante um determinado período (um mês, seis meses, etc.), pode nos ajudar a mudar nossa visão sobre os outros, pode criar em nossa vida o espaço necessário onde operar as transformações às quais nós aspiramos.

De fato, suspeito que as pessoas ao meu redor não deem todas, o tempo todo, o melhor de si, no mínimo porque nem eu mesmo sempre consigo isso, porque tenho consciência de às vezes estar um pouco abaixo disso. Mas, ao escolher deliberadamente pensar que elas deram o melhor de si, eu enfraqueço meu juiz interior e suas grandes certezas, desenvolvo minha indulgência, minha empatia e meu amor.

Isso me faz bem e tira delas uma pressão inútil e equivocada. Logo, concentro meus esforços em mim, em meu próprio caminho na direção do não julgamento.

Até o dia em que me dou conta de que estou conseguindo formular expectativas de maneira sadia, firme, com amor, e constato então que elas são bem acolhidas, recebem maior consideração dos outros. E, ainda que não seja esse o caso, eu não me ofendo nem fico com raiva, nem contrariado, uma vez que faço isso por eles e não mais por mim.

Então, faça o teste a partir de hoje: com o que se parece o mundo e que coloração assumem todas as suas interações cotidianas quando você parte do princípio de que cada um dá o melhor de si a cada instante?

18º DIA

Chega de falar mal

Há cerca de 25 anos, descobri os raros escritos de Maître Philippe de Lyon, pseudônimo de Nizier Anthelme Philippe (1849-1905). Philippe de Lyon ficou conhecido, antes de tudo, como um dos curandeiros mais notáveis da história. Ele chegou a ser, por um breve período, médico do czar da Rússia, antes de Rasputin.

De acordo com vários testemunhos que chegaram até nós, as curas milagrosas eram moeda corrente na rua Tête-d'Or, onde ele organizava suas sessões semanais coletivas. No entanto, justamente "moedas" não se cogitavam nessas curas: foi exatamente isso que me chamou a atenção nesses relatos. Em troca de cuidados excepcionais que ele dispensava, Maître Philippe pedia uma forma totalmente diferente de pagamento: não falar mal do próximo.

À determinada pessoa, por exemplo, ele dizia: "Não fale mal de ninguém durante dois dias". À outra, o mesmo pagamento, mas somente durante um dia. A uma senhora, uma vez, ele teria dito: "Para você não posso pedir nem mesmo que fique sem falar mal durante uma hora, pois não conseguiria. Então, encontre duas pessoas de seu convívio e peça-lhes que não falem mal uma da outra durante um dia".

Isso mostra a considerável importância que Maître Philippe dava à fala, e mais especificamente a uma fala isenta de maledicência, de maldade!

Um poder infelizmente destruidor

No entanto, a princípio, não parece muito grave propagar um rumorzinho aqui, uma fofoquinha ali, e se deixar levar por algumas palavras desagradáveis sobre o outro. Ledo engano! Assim como a teia de aranha é feita de centenas de fiozinhos ligados entre si, o boato que chega até nós e que, por nossa vez, transmitimos ao outro (acrescentando um pouco de nosso próprio fel) acaba também tecendo toda uma teia grudenta ao redor daquele que é alvo dele. É impossível se livrar disso! Empresas faliram, indivíduos tiveram sua reputação totalmente arruinada, muitas injustiças foram cometidas em todos os escalões da sociedade simplesmente porque esse veneno social, que são os boatos, as fofocas e as maledicências, pôde circular de um indivíduo para outro, sem que jamais ninguém impedisse isso.

Se você deseja algum dia atingir o não julgamento, é necessário sempre trabalhar conscientemente a sua fala. Não somente como você fala com os outros, em voz alta, mas também de que maneira você dialoga dentro de sua cabeça, seja falando consigo mesmo, seja imaginando uma conversa com o outro.

Nossos julgamentos passam em sua maior parte pela fala, quer ela saia efetivamente de nossa boca, quer ela fique dentro de nossa cabeça. Nós não paramos de falar internamente, na maior parte do tempo! E o que nós nos dizemos? Quando me fiz essa pergunta da primeira vez, anos atrás, fiquei bastante alarmado com o que descobri: a maioria de minhas palavras sobre mim mesmo era negativa, julgadora, crítica, desencorajadora, desagradável. Eu constatei que havia interiorizado as vozes de todos os adultos que me repreenderam regularmente durante a infância. Minha cabeça era um verdadeiro tribunal no qual só se exprimiam depoimentos contra mim, do promotor, do juiz e até de meu próprio advogado!

A difamação, as fofocas, os mexericos ou até as calúnias são um verdadeiro veneno social, lembre-se disso! Eles envenenam nossa vida individual e coletiva. Na televisão, nos jornais, na internet, em toda parte, espalha-se essa verdadeira praga midiática, cujos efeitos são poucos que realmente entendem.[1]

Quando eu falo mal, não somente estou agindo mal com os outros como também estou agindo mal comigo mesmo, pois vou temer o que dizem pelas minhas costas. Vou ficar desconfiado, sem contar que ficarei pouco à vontade na presença das pessoas de quem falei mal sem elas saberem.

"Que sua palavra seja impecável", recomenda Miguel Ruiz no primeiro compromisso tolteca, afirmando que este pode sozinho transformar nossa qualidade de vida.

Um poder maravilhosamente criador

O verbo é criador, como enuncia de maneira sublime o prólogo do Evangelho de João: "No princípio era o Verbo, e o Verbo estava com Deus, e o Verbo era Deus. Ele estava no princípio com Deus. Todas as coisas foram feitas por ele, e sem ele nada do que foi feito se fez". Todas as coisas foram feitas por ele! A palavra pode esclarecer, educar, ela pode exprimir o amor, ela pode até mesmo curar. Mas ela também desencadeou guerras, arruinou vidas, semeou desolação.

[1] Sobre esse assunto, recomendo muito o excelente livro *Rumeurs*, de Jean-Noël Kapferer, sociólogo (ver bibliografia). Na minha opinião, todo estudante deveria lê-lo antes de concluir o ensino médio.

Se eu crio com minha palavra, o que eu crio? Se minhas palavras são sementes, o que é que eu semeio – na sociedade, nos seres que me são próximos e em mim mesmo – a cada vez que abro a boca?

Não se trata de se fazer a pergunta de uma maneira culpabilizante, pois isso não adianta nada. O objetivo é ser mais consciente, mais responsável. Se falamos de qualquer jeito, muitas vezes é em razão do exemplo que nos foi dado, e que imitamos sem refletir. Mas se agora temos consciência do poder criador de nossa fala (e do poder destruidor da maledicência), podemos parar um momento para torná-la consciente e fazer com que ela aos poucos se torne a ferramenta benéfica que queremos.

A palavra é como uma espada de dois gumes: esta pode proteger, defender, cortar laços, ou ela pode ferir e matar. Você pode aprender o manejo da espada até se tornar mestre em armas. Você também pode aprender a dominar sua palavra para fazer dela uma ferramenta que esteja totalmente a seu serviço, em vez de usá-la para fazer o mal ao seu redor, seja por ignorância, seja por falta de consciência.

A espada é o símbolo da justiça: o não julgamento passa justamente pelo aprendizado do domínio dessa outra espada que é o verbo. É uma decisão que cada um de nós pode tomar: no futuro, coloco minha palavra a serviço daquilo que é positivo, luminoso, construtivo. Isso não impede de se mencionar aquilo que não está dando certo, que deve ser mudado ou melhorado: a palavra também pode ser forte, corajosa, sem para isso ser difamatória.

Torne sua palavra consciente

O primeiro exercício que eu lhe proponho é se conscientizar da palavra: sua, dos outros e a que você tem internalizada em sua cabeça também. Como você fala com os outros? Como você fala consigo mesmo? Que uso você faz do verbo criador?

Não se prive tampouco de estender esse exercício a seu círculo de convívio. Como os outros falam entre si? Como as crianças se dirigem umas às outras na hora do recreio? Como se exprimem as pessoas na televisão, na política... ou na Assembleia Nacional?

Dedique ao menos um dia inteiro a esse exercício. Coloque toda sua atenção nele, de manhã até a noite, onde quer que você esteja: na rua, no metrô, no trabalho, em uma mesa de bar, em todo lugar!

Que palavras as pessoas usam? Do que elas falam? Que sementes elas plantam ao falarem? Que finalidade elas perseguem ao se exprimirem dessa forma? De que serve toda essa fala despejada?

Não faça isso para julgar os outros (ou a si mesmo), pois seria ir contra o próprio objetivo do exercício! Faça isso para se tornar consciente, plenamente consciente, da maneira como a maior parte de nós usa esse dom da fala que temos.

Mais uma vez, eu insisto. O melhor é realizar o exercício por escrito, em um pequeno caderno ou uma folha avulsa, sendo importante fazer um registro escrito de suas reflexões e, assim, de sua evolução.

Passe sabão na sua língua!

No filme *Romuald et Juliette*, de Coline Serreau, o filho mais velho de Juliette tem a boca tão suja que ela chega a exclamar em um momento: "Juro, não é uma boca que você tem, é uma fossa séptica!". Adoro essa réplica. Lembro-me da época em que acontecia de alguns pais passarem sabão na língua de seus filhos se eles falassem como estivadores!

Ao mesmo tempo, a imagem é tão forte que tenho vontade de utilizá-la aqui para sugerir que você "lave" sua fala, livre-a dessas escórias e sujeiras que são não somente as palavras abertamente grosseiras e vulgares, mas também todas as expressões que veiculam uma carga muito negativa, sem que nem mesmo pensemos nisso ("Estou de saco cheio", "Isso está me matando!" (sem comentários), "Quero morrer!", "Estou cagando" (os intestinos estão bons?), e deixo que você mesmo complete a lista).

Já consigo ouvir alguns de vocês minimizando o impacto dessa linguagem: "Mas não é nada demais! Não precisa exagerar...". Tudo bem.

Mas faça o teste assim mesmo, durante uma semana. Qual o pior que pode acontecer? Faça essa experiência conscientemente e depois julgue (!) por si mesmo. Há tantas coisas que achamos saber, até o momento em que realmente temos de fazê-las, e às vezes nos surpreendemos.

Coloque consciência em sua fala. Escute-se falando. Vire sete vezes a língua dentro de sua boca antes de dizer qualquer coisa. Torne-se um impasse para os rumores e os mexericos: recuse-se a deixar que eles passem através de você.

Depois, veja o que isso lhe traz. Faça por escrito um balanço sincero ao fim de uma semana. Aposto que você ficará surpreso!

Agora por dentro!

Vamos complicar um pouquinho? Está pronto?

Agora sugiro que você se conscientize e transforme a maneira como você fala dentro da sua cabeça, sem que os outros saibam.

O que você conta para si mesmo? Que diálogos você imagina entre você e - à sua escolha - seus pais, seu patrão, seu parceiro, seus filhos, etc.? Que palavras você coloca na boca deles e na sua?

E se também, nesse caso, você fizesse uma faxina para só deixar que se passem em sua cabeça monólogos ou diálogos positivos? Como você seria para você a partir de então?

Vou até lhe ensinar um truque para ajudá-lo a transformar seus monólogos ou diálogos interiores, quando eles não voam alto demais. Já vimos que é difícil deixar de fazer alguma coisa. É melhor encontrar algo para fazer no lugar. De minha parte, o que fiz muito foi utilizar afirmações positivas ou preces curtas. Eu me surpreendo iniciando um monólogo negativo? Então, repito internamente (à escolha, dependendo da maneira como eu negativo):

- "Que seja abençoado este dia!";
- "A vida é bela";
- "Senhor, faça de mim um instrumento de tua paz" (Oração de São Francisco);
- "Com o tempo, somente o amor e a verdade acabam triunfando" (Gandhi);
- "Obrigado, obrigado, obrigado!";
- etc.

Você também pode utilizar um mantra (pessoalmente, considero "obrigado" como um dos mantras mais eficazes!): ele dará à sua mente um osso para roer mais útil do que ruminações internas negativas.

Lembre-se

A maledicência é uma maldição, é falar mal, ou seja, totalmente o contrário da bênção que abordamos no 6º dia, que é justamente a arte de "falar bem" (ver p. 42). Então, quando você se surpreender falando mal, pode imediatamente adotar a atitude inversa e começar a abençoar: abençoar as pessoas, abençoar a vida, abençoar o céu, a natureza, os pássaros, abençoar tudo aquilo que quiser. Você logo trocará maledicência e julgamento por bênção e não julgamento!

Eu não podia abordar a maledicência nestas páginas sem reproduzir aqui o excepcional poema de Victor Hugo – pouco conhecido, na minha opinião – que descreve à perfeição o impacto de uma palavra descuidada.

Leia-o em voz alta para saborear plenamente seu ritmo, sua pulsação! Veja como avança e progride essa palavra, siga o labirinto no qual Victor Hugo nos leva e admire a cadência magistral desse poema!

A poesia é viva e ela vive ainda melhor quando é dita, ou até declamada, se necessário. Compartilhe este belo texto com um parente ou um amigo, leiam-no um para o outro, vocês vão se deleitar!

O POEMA

LE MOT

A PALAVRA

BRAVES GENS, PRENEZ GARDE AUX CHOSES QUE VOUS DITES!

BRAVA GENTE, PRESTEM ATENÇÃO ÀS COISAS QUE VOCÊS DIZEM!

TOUT PEUT SORTIR D'UN MOT QU'EN PASSANT VOUS PERDÎTES;

TUDO PODE SAIR DE UMA PALAVRA QUE AO SOLTAR VOCÊ PERDEU;

TOUT, LA HAINE ET LE DEUIL!

TUDO, O ÓDIO E O LUTO!

ET NE M'OBJECTEZ PAS QUE VOS AMIS SONT SÛRS

E NÃO ME VENHA DIZER QUE SEUS AMIGOS SÃO CONFIÁVEIS

ET QUE VOUS PARLEZ BAS.

E QUE VOCÊ FALA BAIXO.

ÉCOUTEZ BIEN CECI :

ESCUTE BEM ISTO:

TÊTE-À-TÊTE, EN PANTOUFLE,

CARA A CARA, DE CHINELO,

PORTES CLOSES, CHEZ VOUS, SANS UN TÉMOIN QUI SOUFFLE,

DE PORTAS FECHADAS, EM SUA CASA, SEM UMA TESTEMUNHA PARA COCHICHAR,

VOUS DITES À L'OREILLE DU PLUS MYSTÉRIEUX

VOCÊ DIZ NA ORELHA DO MAIS MISTERIOSO

DE VOS AMIS DE CŒUR OU SI VOUS AIMEZ MIEUX,

DE SEUS AMIGOS DE CORAÇÃO, OU, SE VOCÊ PREFERIR,

VOUS MURMUREZ TOUT SEUL, CROYANT PRESQUE VOUS TAIRE,

VOCÊ MURMURA SOZINHO, ACHANDO QUE ESTÁ QUASE CALADO,

DANS LE FOND D'UNE CAVE À TRENTE PIEDS SOUS TERRE,

NO FUNDO DE UM PORÃO A TRINTA PÉS SOB A TERRA,

UN MOT DÉSAGRÉABLE À QUELQUE INDIVIDU.

UMA PALAVRA DESAGRADÁVEL SOBRE ALGUM INDIVÍDUO.

CE MOT – QUE VOUS CROYEZ QUE L'ON N'A PAS ENTENDU,

ESSA PALAVRA - QUE VOCÊ ACHA QUE NÃO OUVIRAM,

QUE VOUS DISIEZ SI BAS DANS UN LIEU SOURD ET SOMBRE –

QUE VOCÊ DIZIA TÃO BAIXO EM UM LUGAR SURDO E ESCURO -

(CONT.)

Court à peine lâché, part, bondit, sort de l'ombre;
Mal foi solta e correu, partiu, saltou, saiu da sombra;

Tenez, il est dehors! Il connaît son chemin;
Veja, ela saiu! Ela conhece o caminho;

Il marche, il a deux pieds, un bâton à la main
Ela anda, ela tem dois pés, um bastão na mão

De bons souliers ferrés, un passeport en règle;
Bons sapatos ferrados, um passaporte em dia;

Au besoin, il prendrait des ailes, comme l'aigle!
Se necessário, ela criaria asas, como uma águia!

Il vous échappe, il fuit, rien ne l'arrêtera,
Ela escapa de você, ela foge, nada a deterá;

Il suit le quai, franchit la place, et cætera
Ela segue a margem, atravessa a praça, et cetera

Passe l'eau sans bateau dans la saison des crues,
Passa pela água sem barco na estação das enchentes,

Et va, tout à travers un dédale de rues,
E vai, atravessando todo um labirinto de ruas,

Droit chez le citoyen dont vous avez parlé.
Direto para a casa do cidadão de quem você falou.

Il sait le numéro, l'étage; il a la clé,
Ela sabe o número, o andar; ela tem a chave,

Il monte l'escalier, ouvre la porte, passe, entre, arrive
Ela sobe a escada, abre a porta, passa, entra, chega

Et railleur, regardant l'homme en face dit :
E, debochada, olhando o homem em frente, diz:

« Me voilà! Je sors de la bouche d'un tel. »
"Cá estou! Estou saindo da boca de fulano".

Et c'est fait. Vous avez un ennemi mortel.
E pronto. Você tem um inimigo mortal.

Victor Hugo

19º DIA

A magia do perdão

O poema

Hommes, pardonnez-vous. Ô mes frères, vous êtes
Homens, perdoem-se. Ó, meus irmãos, vocês estão

Dans le vent, dans le gouffre obscur, dans les tempêtes;
No vento, no abismo obscuro, nas tempestades;

Pardonnez-vous. Les cœurs saignent, les ans sont courts;
Perdoem-se. Os corações sangram, os anos são breves;

Ah ! donnez-vous les uns aux autres ce secours !
Ah! Deem uns aos outros esse socorro!

Oui, même quand j'ai fait le mal, quand je trébuche
Sim, mesmo quando fiz o mal, quando tropeço

Et tombe, l'ombre étant la cause de l'embûche,
E caio, sendo a sombra a causa da armadilha,

La nuit faisant l'erreur, l'hiver faisant le froid,
A noite fazendo o erro, o inverno fazendo o frio,

Être absous, pardonné, plaint, aimé, c'est mon droit.
Ser absolvido, perdoado, lamentado, amado é meu direito.

Excerto do poema *Fraternité* de Victor Hugo

Chega de (se) julgar! poderia muito bem ter sido chamado de *Eu aprendo a amar* – ou ainda *Eu reaprendo a amar* –, pois amar é no início uma faculdade natural, mas que os conflitos da vida fazem com que a maioria de nós perca, de forma que precisamos reaprendê-la. O objetivo deste trabalho, de fato, não é atingir uma espécie de estado de não julgamento neutro e indiferente, acima de tudo, nas camadas etéreas da zenitude tal como algumas pessoas idealizam. Muito mais concretamente e humanamente falando, trata-se sobretudo de trocar o julgamento – com os jorros de emoções negativas que o acompanham – pela faculdade de aceitar e mesmo de amar cada vez mais os outros, a realidade, a vida.

Quando, após vários ferimentos leves ou profundos, poucos ou muitos, o amor por fim encolheu dentro de nós, ou até se calou, praticamente morreu – nosso coração não ousa ou não consegue mais amar –, o que é que pode ressuscitá-lo, voltar a lhe dar vida?

É o perdão. Costumo definir o perdão como o amor ressuscitado, um amor que soube renascer das cinzas. Você atravessa o deserto, passa pela seca do coração, pelo amargor do ressentimento, ou até pela gelidez do ódio, e depois, graças ao perdão, o deserto volta a florescer, o gelo derrete e o amor volta a jorrar com uma força nova que não tinha inicialmente.

Perdão? A palavra já é suficiente para dar coceira em algumas pessoas. Em nossa cultura, de profundas raízes judaico-cristãs, ela evoca noções de pecado, de culpa e sei lá mais o quê, das quais muitos de nós não querem mais ouvir falar. Eu entendo, também passei por isso. Quando deixei a religião católica na qual fui criado, considerei tudo como uma coisa só, ou seja, os valores cristãos profundos com os dogmas nos quais eles estavam envolvidos, que não me convinham. Precisei fazer todo um desvio pelas tradições orientais antes de conseguir reencontrar minhas raízes cristãs sob uma forma despida do supérfluo, que realmente me convém e que eu posso adotar; mas essa é uma outra história...

O perdão também voltou para mim por vias totalmente inesperadas, e sobretudo sob uma forma invertida em relação a tudo aquilo que eu havia aprendido e tentado fazer até então. Isso me

abriu perspectivas insuspeitas. Descobri um meio formidável de operar essa cura à qual todos nós aspiramos: eu digo "cura do coração" e não "abertura", pois é inútil querer abrir um coração ferido, machucado, com cicatrizes e abscessos; é preciso cuidar dele, curá-lo com esse bálsamo que é o perdão.

O Dom do Perdão no México

Em 1999, no México, durante uma estadia de uma semana, Don Miguel Ruiz me fez passar por uma experiência de perdão que mudou minha vida. Depois de levar um tempo para integrar essa experiência e de compreender seu espantoso poder - Miguel não havia me fornecido nenhuma explicação -, segui seu conselho de fazer um livro sobre isso, *Le Don du pardon*, publicado em 2010 e já traduzido para cinco línguas. Também tirei disso um ritual transpessoal a ser vivido em grupo, que é possível executar sozinho em casa, como tantas vezes pratiquei durante catorze anos.

Como se deu esse ritual?

Primeiro pedido: no México, Don Miguel começou me convidando a pedir perdão a todos os participantes de nosso grupo... que, no entanto, eu conhecia há 48 horas. Imagine minha surpresa! O que eu poderia ter para ser perdoado? Só entendi quando chegou a oitava ou nona pessoa do grupo. De repente, percebi que meu pedido não podia ter nada de pessoal. Não existia nenhum conflito, nenhum ressentimento entre os outros membros desse grupo e eu. Em compensação, uma mulher lembrava minha mãe; um homem, um de meus ex-chefes; outro, um colega de trabalho, e assim por diante: por meio de cada membro desse grupo, senti que meu pedido de perdão ia atingir pessoas ausentes com as quais eu tinha de fato queixas, problemas não resolvidos, ódios e rancores. Esses vinte e poucos participantes na realidade me ofereciam vinte janelas, vinte ícones vivos pelos quais esse processo de perdão podia se estender a todas as pessoas com as quais eu realmente tinha relações. Em um momento, cheguei a ter o sentimento de pedir perdão a toda a humanidade por meus ódios, meu ressentimento, meus julgamentos baratos, minha incapacidade de deixar o amor me atravessar livremente.

Segundo pedido: ao chegar ao fim dessa jornada, eu já estava em um estado de dilatação interna inimaginável.

Miguel me convidou então a pedir perdão a meus "demônios", o que traduzi como sendo meus bodes expiatórios, todos aqueles que eu responsabilizava pela negatividade e pelo mal no mundo. Atualmente, algumas pessoas acusariam os especuladores, os pedófilos, os laboratórios farmacêuticos, os terroristas, as entidades negativas, sei lá. A cada dia a mídia nos alimenta com bodes expiatórios sobre os quais projetar nossas supostas "sagradas" raivas!

O conceito genial que subjaz esse segundo pedido de perdão é que nós utilizamos aquilo que os outros nos disseram ou fizeram de mal como pretexto, hoje, para continuar mantendo nosso coração fechado e ruminando sem fim nossos velhos rancores.

Atenção: eu não peço perdão por aquilo que os outros me fizeram, mas por aquilo que eu fiz com aquilo que eles me disseram ou fizeram: há uma grande diferença! Eu me reaproprio assim da responsabilidade da minha vida, deixo de ser vítima, me liberto da ilusão de que é o outro que determina indefinidamente meu estado interior, e recupero assim minha capacidade de amar. Com esse segundo pedido de perdão, senti que estava passando um novo marco.

Terceiro pedido: Don Miguel dessa vez me convidou a pedir perdão a "Deus", em outras palavras – se eu traduzir novamente –, àquele "ser maior que você" que também damos um jeito de culpar quando sofremos, que também utilizamos para fechar nosso coração. "Onde estava Deus nos campos de concentração?", dizem algumas pessoas. "Onde ele estava quando uma mulher

foi estuprada ou uma criança foi vítima de um pedófilo?" Ou, se não é "Deus" o culpado – alguns de nós são agnósticos, ateus, etc. –, é a Vida com "V" maiúsculo. O destino. O carma. E você, a quem culpa quando está passando por uma grande provação (luto, perda, etc.)?

Esse terceiro pedido de perdão me libertou mais um pouco ainda e me ajudou a me reconciliar com aquele "ser maior que você", independentemente da visão que cada um tem e do nome que dá. Ele me fez descobrir uma fé não religiosa que defino simplesmente como "confiança na Vida", para além daquilo que sou capaz de compreender com minha mente.

Por fim – e ele me alertou que seria a etapa mais difícil –, Don Miguel me convidou a pedir perdão a mim mesmo! Sem as etapas anteriores, isso teria sido impossível para mim. Mas àquela altura compreendi em um *insight* o absurdo que é ser seu pior inimigo, seu carrasco permanente, se julgar e se detestar sem parar e por tudo. Entendi que cada um deveria ser seu próprio melhor amigo, seu mais indefectível apoiador, como uma mãe que continua amando seu filho que ela visita na prisão depois de ter cometido Deus sabe o quê. Então, formulei este último pedido de perdão – me vendo na forma da criança que já fui, símbolo de inocência e de pureza –, e senti naquele momento estourar a última tranca, e toda a armadura de julgamentos, de ressentimentos e de rancores cristalizados que eu carregava há 38 anos se despedaçar de uma só vez. Eu me vi internamente nu como no primeiro dia, com o sentimento de nascer uma segunda vez. Um momento inesquecível...

Don Miguel logo acrescentou que eu podia reviver esse ritual sozinho, a cada vez que sentisse necessidade. Essa necessidade eu só voltei a sentir meses depois, quando me surpreendi voltando a julgar, a escorregar para dentro das velhas rotinas de julgamento que eu sabia muito bem aonde me levariam. Então, revivi todo o processo sozinho, na minha casa, em meditação... E pude constatar que acontecia exatamente a mesma coisa, sem Miguel, sem o grupo, sem a energia das pirâmides de Teotihuacan.

Pedir perdão em vez de perdoar

Um paradoxo: eu não aprendi a perdoar, mas sim a pedir perdão. E é nessa inversão de postura que consegui encontrar minha responsabilidade – o que faço com aquilo que os outros me fizeram? – e assim reencontrar minha liberdade de amar.

Se acredito que sou autorizado a perdoar, é porque me avalio no direito de julgar. Já aquele que diz "Eu não julgo" também teve como últimas palavras "Pai, perdoa-lhes, porque eles não sabem o que fazem". Em outras palavras, não foi ele que perdoou, ele apelou para algo maior que ele.

Aprender a pedir perdão é enfraquecer nosso juiz interior, tão seguro de seus julgamentos indiscutíveis. É adotar uma postura de humildade, longe do orgulho da mente, uma postura profundamente liberadora e terapêutica.

Aprender a pedir perdão é parar de acreditar que são os outros que determinam eternamente em qual estado interno eu estou; pelo contrário, é reencontrar seu próprio domínio sobre si.

No caminho do amor e do não julgamento, as feridas do passado, nossos velhos rancores, nossos ressentimentos e nossos ódios se aglutinam para formar uma mochila que pesa três toneladas e não nos deixa sair do lugar. Se apesar de tudo algum dia conseguíssemos avançar, ela nos impediria de passar pela porta estreita que dá acesso a esse mundo melhor ao qual muitos de nós aspiramos, um mundo mais equilibrado, mais respeitoso, mais impregnado de valores femininos, mais espiritual, mais ecológico...

Lembre-se

O perdão é uma das mais importantes chaves do não julgamento, simplesmente porque, a partir do instante em que eu peço perdão, logo renuncio a toda a lista de acusações que havia feito, a todas as acusações que eu mantinha contra os outros, contra a vida, contra o destino, a natureza, o Céu. Quando (me) peço perdão, abro mão de (me) julgar, paro de (me) julgar!

Nada do que eu possa dizer ou escrever sobre o poder curativo e libertador do perdão, praticado assim, pode substituir a experiência pessoal que você pode adquirir dele, então agora é sua vez de tentar, para verificar o que digo aqui!

O ritual do Dom do Perdão

Para praticar esse ritual,[1] escolha um lugar calmo, onde você não vá ser perturbado durante aproximadamente trinta minutos. Se puder, crie um ambiente propício: acenda uma vela, queime um pouco de incenso, coloque uma música suave de fundo, como for melhor para você. Sente-se confortavelmente, em uma cadeira ou no chão de pernas cruzadas. Feche os olhos.

- Deixe aparecer espontaneamente em sua cabeça o rosto de pessoas com quem você esteja em conflito, contra quem você sinta ressentimento ou ódio. Se você estiver disposto a se libertar dessa ligação negativa que é o ressentimento, a não usar mais aquilo que essa pessoa lhe disse ou fez como pretexto para manter indefinidamente o coração fechado, diga-lhe internamente: "Eu te peço perdão". Deixe para ela a responsabilidade de seus atos, mas retome sua liberdade de cicatrizar sua ferida e de voltar a amar. Depois, passe para a pessoa seguinte e continue assim até que se cale esse fluxo de rostos.

---

[1] Você encontrará mais detalhes em *Le don du pardon*, de Olivier Clerc (ver bibliografia).

- Concentre-se em seguida nos seus bodes expiatórios: quais são os grupos, as instituições, as categorias de pessoas que você tende a culpar, que você considera responsáveis por aquilo que não está certo no mundo? Os políticos? Os empresários? Os poluidores? Os especuladores? Os membros de determinados países, de determinadas religiões, de determinadas categorias sociais, de determinados partidos? Você quer continuar julgando-os coletivamente e jogando sobre eles fluxos de emoções negativas (que não melhoram em nada a situação)? Ou você está disposto a assumir sua parte de responsabilidade no estado do mundo, a parar com suas projeções negativas e a pedir perdão a seus bodes expiatórios por utilizá-los como pretexto para cultivar o descontentamento, a raiva e o ódio? Você está disposto a se libertar dessas emoções? Se estiver, peça perdão internamente a cada um desses grupos, a cada uma dessas categorias de pessoas, por tê-las utilizado até aqui – por imitação e por ignorância – para cultivar sua negatividade.

- Com raiva de quem você fica quando passa por uma provação, quando vive um luto, quando a vida se torna difícil? De Deus? Da Vida? Do destino, do carma, do mundo inteiro? Qual é esse "ser maior que você" considerado responsável por suas desgraças e contra quem você joga sua raiva e suas condenações? É a esse "ser maior que você" que o convido aqui a pedir perdão, mais uma vez para se libertar de suas projeções, para retomar seu controle sobre seu estado interior e reencontrar sua liberdade.

- Por fim, a última etapa, mas não a menos importante, é pedir perdão a si mesmo, abrir mão de uma vez por todas de ser seu juiz, seu carrasco e seu pior inimigo, para se tornar seu mais indefectível aliado e apoiador. Então, imagine-se na forma da criança que você foi um dia, símbolo de pureza e de inocência; ou, se preferir, sob a forma dessa centelha divina, dessa parte de luz que as tradições espirituais reconhecem em cada ser humano. E lá, do fundo do coração, peça perdão a você por todas as vezes que não respeitou a si mesmo, em que não

soube ou não pôde se amar, respeitar-se ou apoiar-se. Largue mão de todos os seus julgamentos e queixas contra si mesmo, abra mão de toda a culpa, deixe seu coração se curar de todas as suas feridas e se reabrir para o amor.

Recebi muitos depoimentos de leitores e leitoras que utilizaram com sucesso esse ritual, sozinhos, em suas casas, e assim conseguiram se libertar desse fardo de três toneladas que os impedia de avançar na vida. Para outros, revelou-se mais oportuno viver esse ritual uma primeira vez com o apoio de um grupo, antes de poderem revivê-lo sozinhos, quando voltassem a sentir necessidade.

A ducha do coração

Costumo dizer que o perdão é a ducha do coração. Depois dele temos a impressão de termos sido lavados por dentro, de estarmos soltos, livres... novinhos em folha! A imagem da ducha sugere também uma prática constante. Não se toma somente uma ducha em toda a sua vida. A cada vez que você se sente sujo, volta a se banhar, para recuperar o frescor e a limpeza originais. Você tampouco lava seu coração uma única vez. Inevitavelmente, ao longo dos dias e das semanas, pequenos rancores, ressentimentos e emoções não muito brilhantes – chamo isso de colesterol emocional! – voltam a obstruir os canais pelos quais circula nosso amor. Se você sente que é isso o que está acontecendo, não hesite em voltar a usar esse pequeno ritual: você logo sentirá o efeito purificador e regenerador.

A abordagem do perdão que descrevi aqui não é a única: existem várias outras. Penso sobretudo naquele belo método havaiano, *Ho'oponopono*, que se popularizou entre nós há alguns anos e que usa as quatro fórmulas: "Sinto muito. Peço-te perdão. Eu te amo. Obrigado". Vários livros de sucesso o mencionam.[2] Pouco importa

---

[2] Recomendo o de Maria-Elisa Hurtado-Graciet e Luc Bodin, *Ho'oponopono* (ver bibliografia).

o meio ou a abordagem específica que você utilize; o importante é que isso lhe convenha e que lhe permita se libertar de seus velhos rancores, de suas emoções cristalizadas e endurecidas, e de tudo aquilo que obstrui a plena expressão do amor através de você.

Lembre-se

De uma maneira ou de outra, é preciso sempre trabalhar o perdão para atingir definitivamente o não julgamento e não ver mais ressurgirem velhos nós de relações que nunca foram realmente dissolvidos.

Então, a escolha é sua!

20º DIA

A gratidão: canto do coração

Tenho o hábito de dizer que, se o perdão é a cura do coração, a gratidão é o canto do coração. O que quero dizer com isso é que quando o coração está curado, quando ele se abre, a gratidão é uma das manifestações mais naturais de seu bom funcionamento. Espontaneamente, quando tenho o coração aberto, sinto a necessidade de dizer "obrigado!" mil e uma vezes durante o dia, desde o momento em que acordo: obrigado por estar vivo, obrigado por ter saúde, obrigado por meus amigos e minha família, obrigado por viver neste país, obrigado por ter um trabalho, etc. Obrigado, obrigado, obrigado!

Para mim, a gratidão é uma virtude subestimada, que não recebe a devida consideração. Não é somente o "diga obrigado para a senhora!" que inculcamos a nossos filhos. Não é somente uma expressão educada, um sinal de cortesia, um lubrificante social. É muito mais do que isso!

A gratidão é uma das formas mais simples e mais naturais que nosso amor pode assumir. O termo de "re-conhecimento" pelo qual ela às vezes é designada sugere a ideia de uma retribuição, de algo que devolvemos, restituímos, em troca de tudo aquilo com o qual a vida nos gratifica.

Por isso a gratidão é também um formidável antídoto para o julgamento. Não se pode simultaneamente dizer obrigado e julgar: essas duas atitudes são totalmente contraditórias. Quando eu julgo, não tenho nenhuma vontade de dizer obrigado, muito pelo contrário: estou condenando, rejeitando, recusando. Já quando digo obrigado, estou aceitando, acolhendo, reconhecendo.

Estou dando graças (gratidão vem de *gratias*, a graça).

Cultivar conscientemente, deliberadamente a gratidão foi desde o início uma de minhas ferramentas preferidas para me libertar do julgamento. Portanto, neste último "fim de semana" deste programa de três semanas, quero convidá-lo a testar essa formidável abordagem.

Agradecer pelo que está bom

Assim como tudo, a prática da gratidão começa com coisas elementares, bem simples, para ir aumentando gradativamente até englobar mesmo as situações mais difíceis. No começo, agradece-se por tudo que é positivo, tudo aquilo que está bom, como eu disse anteriormente: obrigado por estar vivo e em boa saúde, obrigado por nosso estilo de vida, obrigado por poder comer quando estou com fome, obrigado pela infraestrutura eficiente de nosso país, obrigado por estar vivendo em uma democracia (ah, sim!, mesmo com seus problemas), obrigado por ter água potável, obrigado pela natureza e pelas colheitas, obrigado pela beleza das paisagens, obrigado a todos aqueles que nos precederam e que desenvolveram tudo aquilo de que desfrutamos hoje, etc.

Uma vez que se lança nessa inspiração de gratidão, você não para mais de descobrir tudo aquilo a que não dá valor no dia a dia e que no entanto deveria ser objeto de uma gratidão mais do que merecida de nossa parte. Eu me dei conta há muito tempo de que o fato de eu pagar por algo, como um produto ou um serviço, não me dispensaria desse outro pagamento que é a expressão de minha gratidão. Muito cedo adquiri o hábito de pegar a caneta (ou, desde então, o teclado) para expressar meu reconhecimento aos autores de livros que me tocaram, aos fabricantes de certos produtos de

qualidade que eu aprecio no dia a dia, a professores que tive na juventude e me influenciaram positivamente, aos mentores que souberam plantar em mim sementes que enriqueceram meu jardim interior, e assim por diante. Ainda que não tenha sido o objetivo buscado, eu muitas vezes fiquei espantado com o que essa simples expressão de gratidão em alguns casos trouxe de volta, como esse pianista a quem eu havia escrito, dizendo o quanto ele havia mexido comigo com sua sensibilidade e sua técnica (que me lembrava o mítico Dinu Lipatti...), e que, ao receber minha carta, me enviou um pacote com todos os seus CDs e uma carta especialmente tocante!

Quem pensa em agradecer ao sol por seus raios, à natureza pelos grãos, frutos e legumes com os quais ela nos agracia, ou ainda à água por sua pureza? No entanto, sendo o sol, a natureza e a água sensíveis ou não a essas demonstrações de gratidão, é certo que nós somos os principais a nos beneficiar quando as exprimimos. Isso faz bem, simples assim.

Outra vantagem desse comportamento é que ele também nos lembra de que nossa sobrevivência (mas também nossa felicidade, nosso florescimento) depende de muitos seres, fatores e elementos ao nosso redor, sem os quais não seríamos nada. Isso nos torna humildes. E a humildade é o antídoto para o orgulho que acompanha muitos de nossos julgamentos. Húmus, humano, humildade: descer de sua torre de mármore para se colocar no nível de todos, em nosso devido lugar...

Agradecer pelo que não está bom

Se, para começar, você adotar o hábito de cultivar a gratidão por tudo aquilo que há de belo, de positivo, de maravilhoso e de agradável em sua vida, logo estará pronto para passar à etapa seguinte: aprender a dizer obrigado por aquilo que está difícil, ou até doloroso. É uma chave que pode transformar radicalmente sua existência!

Quando aplico a gratidão mesmo àquilo que me contraria, mesmo àquilo que está bem distante do que eu queria ou esperava, dou um passo na direção da fé que defino pessoalmente como confiança na vida, ou seja, mesmo se eu não entendo o que me acontece, mesmo que eu esteja infeliz, abalado, ao dizer obrigado apesar de tudo (a contragosto no começo...), afirmo minha confiança no fato de que esses acontecimentos têm um sentido que não compreendo, que talvez eu só entenda dentro de alguns dias, semanas ou meses. Eu me recuso a esperar ter compreendido o sentido e a sabedoria dessa situação para começar a agradecer, retroativamente! Eu faço uma aposta no futuro, aposto em uma inteligência operando na vida, bem superior ao meu próprio intelecto.

Ao agradecer quando as coisas vão mal, eu retiro de minha mente, de meu juiz interior, o direito de julgar a situação de cabeça quente e de maneira definitiva, o direito de amaldiçoar o céu e a terra e de me fechar em uma postura de vítima. Eu me recuso a me deixar ser subserviente à minha necessidade de compreender tudo imediatamente, sendo que ainda estou sob efeito da surpresa, do choque, da emoção. Eu digo obrigado para não permanecer preso em minha mente, em meus julgamentos, em minhas suposições. Eu digo obrigado para me abrir a uma ordem das coisas que não consigo entender. E é nisso que esse uso da gratidão é uma passarela para a fé, para essa fé que não é uma crença em determinado dogma, mas sim uma confiança incondicional em algo maior que você.

Dizer obrigado quando as coisas vão mal não significa se resignar passivamente; quer dizer aceitar a situação, para começar, e depois apostar no fato de que ela obedece a um sentido que por enquanto não entendo. Consequentemente, em vez de me sentir vítima do azar e da fatalidade, em vez de me revoltar, em vez de

imaginar que algo ou alguém está me atacando, vou conseguir mais facilmente sentir para onde a vida está tentando me arrastar, me alinhar a essa vontade que não consigo entender, acolher aquilo que se apresenta, permanecer aberto, o que cria em mim condições bem mais favoráveis para conseguir efetivamente compreender no tempo devido o sentido desses acontecimentos difíceis.

Uma bênção disfarçada

Há vários anos, por exemplo, uma jovem tradutora que eu ajudava a ingressar na profissão me apunhalou pelas costas – figurativamente falando – ao torpedear a relação que eu tinha com o editor que, na época, garantia grande parte de minha renda. De um dia para outro me vi sem contratos de tradução, sem trabalho e, portanto, sem renda, com três filhos para criar e uma casa para quitar. O golpe foi de uma extrema violência, ainda mais porque não o vi chegando. Durante 24 horas, fiquei completamente aturdido, arrasado, destruído. Uma parte de mim estava prestes a maldizer ao mesmo tempo essa jovem, o editor que me punia, a vida, o Bom Deus, e todo o resto! Passado o choque dessas primeiras 24 horas, e como eu tinha no meu histórico anos de prática de gratidão, inclusive nos momentos difíceis, a questão surgiu para mim: "E se fosse uma bênção oculta? E se, com esse recurso violento, a vida estivesse me dando um presente e me ajudando a ir aonde devo ir?".

Portanto, sem entender nada do porquê daquilo que me acontecia, eu logo comecei a dizer obrigado, obrigado e obrigado, partindo do princípio de que cedo ou tarde eu acabaria compreendendo a pertinência e a sabedoria daqueles acontecimentos dos quais minha mente nada captava. A gratidão me impediu de julgar aquela tradutora e aquele editor. Ela impediu que meu coração se fechasse e destilasse ódio e ressentimentos. Ela me levou a manter todas as possibilidades abertas, e a procurar aquilo que a vida poderia estar querendo me dizer ao me impor aquela provação.

Resultado: como eu não tinha mais nada para traduzir e me via em uma situação financeira muito precária, voltei a escrever, deixando de lado todas as minhas hesitações e dúvidas. Desovei dois livros em três meses! A redação e a edição desses dois livros abriram uma comporta em minha vida e mudaram definitivamente sua direção: as palestras e os estágios se multiplicaram, permitindo que eu realizasse aspirações antigas que me eram muito caras. Além disso, passado o turbilhão inicial, minha relação com esse editor saiu fortalecida dessa provação, como um osso fraturado que em seguida ficou mais sólido que antes.

Enfim, esse episódio me permitiu concretizar minha vontade de reduzir minha atividade como tradutor para me dedicar mais à escrita e ao ensino.

Se, em vez de agradecer por essa dificuldade, eu tivesse me murado em minha razão, com raiva, rancor, sentimento de injustiça, rebelião e postura de vítima, provavelmente teriam se passado meses ou até anos antes que eu compreendesse o sentido desses acontecimentos e que eu agarrasse a oportunidade que eles me ofereciam. Eu poderia ter mergulhado por muito tempo na negatividade e passado completamente ao largo da mensagem que a vida me oferecia dessa maneira um pouco abrupta.[1]

Em uma árvore frutífera, a flor e a folha antecedem o surgimento do fruto propriamente dito. Da mesma maneira, o fruto da compreensão amadurece mais facilmente em nós porque é precedido pela flor e pela folha de nossa gratidão e de nossa aceitação.

[1] Para ser totalmente sincero, explico que antes de enviar uma mensagem tão radical assim, a vida havia me mandado diversos sinais mais suaves, na mesma direção, mas que eu não havia escutado...

AMPLIE SEU CÍRCULO DE GRATIDÃO

PARA AVANÇAR EM PASSOS DE GIGANTE NA DIREÇÃO DO NÃO JULGAMENTO, AGORA O CONVIDO A CULTIVAR A GRATIDÃO.

COMECE ENGLOBANDO EM SEUS AGRADECIMENTOS E SUAS DEMONSTRAÇÕES DE RECONHECIMENTO TUDO AQUILO QUE FAZ A BELEZA E A QUALIDADE DE SUA VIDA ATUAL. DIGA OBRIGADO PELA VIDA ASSIM QUE ACORDAR. DIGA OBRIGADO PELAS PESSOAS, PELAS RELAÇÕES, PELOS OBJETOS, PELAS ATIVIDADES, PELOS DONS E TALENTOS, PELAS COMPETÊNCIAS E APTIDÕES QUE FAZEM O CHARME DE SUA EXISTÊNCIA ATUAL. BUSQUE EM SUAS LEMBRANÇAS E DIGA OBRIGADO POR TUDO AQUILO QUE LHE ACONTECEU DE BELO, DE BOM, DE MARAVILHOSO E DE AGRADÁVEL.

UM BOM MOMENTO PARA PRATICAR A GRATIDÃO É À NOITE, ANTES DE DORMIR; NO FUNDO, DAR GRAÇAS DESSA MANEIRA É UMA DAS FORMAS DE PRECE MAIS ELEMENTARES QUE EXISTEM.

UMA OUTRA OPÇÃO CONSISTE EM COMPRAR E CRIAR UM CADERNO DA GRATIDÃO, NO QUAL VOCÊ ANOTARÁ REGULARMENTE TUDO AQUILO PELO QUAL VOCÊ É GRATO. VOCÊ PODE ATÉ MESMO FAZER DESENHOS E ILUSTRAÇÕES: FAÇA COM QUE ESSE CADERNO FIQUE BONITO, QUE POR SUA PRÓPRIA FORMA ELE SEJA EM SI UMA EXPRESSÃO DE GRATIDÃO, UM CANTO DE LOUVOR.

Quando o fogo da gratidão estiver bem desenvolvido em você, quando suas chamas estiverem fortes o suficiente para acolher lenhas mais difíceis de consumir, você poderá começar a incluir em seus agradecimentos momentos difíceis, provações. Para isso, comece repensando seu passado: quais acontecimentos você atravessou que, na hora, lhe pareceram muito dolorosos, catastróficos mesmo, mas que a distância fez com que você compreendesse que foram exatamente eles que permitiram que você atingisse esses objetivos essenciais, se tornasse aquilo que você queria se tornar, realizasse aquilo que você queria fazer e que talvez nunca teria feito do contrário? Se acontecimentos difíceis do passado acabaram se revelando benéficos, ou até verdadeiras bênçãos disfarçadas, por que não agradecer desde agora por aqueles que o atingem hoje, ainda que você não os entenda? Que risco você corre ao tentar essa aposta de fé, ao confiar em um sentido que por ora você não entende? Nenhum risco a mais do que acreditar que a vida é malfeita, que o Céu o odeia, que você está pagando pelo seu carma, que a vida é regida pelo acaso ou sei lá o quê. Pelo contrário!

Experimente.

"Aquele que experimenta sabe", dizem os sufis. Não se sabe com a cabeça, com o intelecto, você sabe quando faz. Teste por si mesmo o efeito da gratidão. Um dia, uma semana, um mês ou mais. Veja muito concretamente o que isso faz com você.

A gratidão o ajudará a julgar cada vez menos. A gratidão o abrirá para a fé, para o ser maior que você, para a confiança na vida, para além de qualquer compreensão puramente intelectual. A gratidão lhe servirá de antídoto para a arrogância orgulhosa da mente que acredita ter entendido tudo.

Por fim, e mais importante, a gratidão fará seu coração cantar. Ela pode até mesmo lhe dar vontade de cantar ou de assobiar na rua, quem sabe? Aliás, devo minhas primeiras palavras em alemão à minha avó, que costumava repetir este provérbio germânico:

Os versos

Lass dich nieder
Sente-se onde
Wo Leute singen:
as pessoas cantam:

Böse Menschen
os seres maus
Haben keine Lieder.
não têm cantos.

Desejo que seu coração encontre seu próprio canto!

1 2 3 4 5 6 7 8 9 10 11 12 13 14 15 16 17 18 19 20º DIA 21

21º DIA

Terceiro dia de descanso, último balanço... e depois?

Vigésimo primeiro dia! E você chegou ao último dia deste programa em três semanas, deste caminho em 21 etapas na via para o não julgamento. Simbolicamente, este é seu último "domingo" (mesmo que você tenha começado o programa em um dia diferente da segunda-feira), ou seja, é seu último dia de descanso.

O ritual semanal

Assim como no 7º dia e no 14º dia, chegou o momento de reunir os papéis nos quais você anotou os julgamentos da semana, para destruí-los.

Quantos deles há?

....

....

....

Que evolução você observou desde o 7º dia?

....

....

....

Você viu diminuir o número de seus julgamentos ao fim de cada uma destas três semanas?

....

....

....

O contrário me surpreenderia. Na pior das hipóteses, a atenção a mais que você colocou em seus pensamentos, palavras e comportamentos pode, durante as primeiras semanas, ter se traduzido em um aparente aumento do número de julgamentos, que, na verdade, refletia o fato de que você havia se tornado muito mais atento a seus julgamentos do que antes. Você, na realidade, não estava julgando mais do que antes, mas estava com uma consciência muito mais aguçada de seus julgamentos, e daí a sensação enganosa de que eles estavam aumentando.

Mas, ao fim desta terceira e última semana, é provável que o número de seus julgamentos tenha se reduzido consideravelmente, ou até, quem sabe, que você talvez tenha conseguido passar uma semana inteira praticamente sem nenhum julgamento.

Então, mais uma vez, reserve um tempo para encontrar um lugar adequado para queimar esses poucos papéis em total segurança; um lugar tranquilo, onde possa passar alguns minutos sem ser interrompido, para novamente confiar esses julgamentos à ação transformadora e purificadora do fogo, símbolo desse amor ardente que você deseja ver aumentando cada dia mais em seu coração.

Se não puder queimá-los, recorte-os como indicado nas semanas anteriores (ver p. 49).

Você reparou? Eu não disse para você destruir uma "última" vez os papéis nos quais estão seus julgamentos. Mas por quê? Porque não julgar nunca mais, deixar de julgar de uma vez por todas, é um resultado que não se atinge necessariamente em três semanas

(ainda que tudo seja possível!). Nada o impede, portanto, de continuar além destes 21 dias, de continuar a anotar seus eventuais julgamentos e de continuar a destruí-los a cada sete dias, ou na frequência que preferir (uma vez por mês, uma vez por ano, a cada ano bissexto, etc.)!

Hora do balanço

Se você jogou o jogo, então acabou de passar 21 dias se esforçando a parar de (se) julgar, trocando o julgamento pela empatia, pela compreensão, pela indulgência e pelo amor.

Qual foi seu balanço dessa experiência, ao fim destas três semanas?

....

....

....

O que ela lhe trouxe?

....

....

....

O que mudou em você, em sua cabeça e em seu coração, mas também e sobretudo em suas relações, em você mesmo e nos outros?

....

....

....

Você teve *feedbacks* de seu círculo de convívio sobre eventuais mudanças que as outras pessoas tenham observado em você? Quais?

. . . .

. . . .

. . . .

Dedique um momento para fazer esse balanço, da maneira mais completa e detalhada possível, de preferência por escrito. Guarde um registro dele.

Uma experiência só é plenamente útil se dedicarmos um tempo para destilar toda sua seiva. Disse um sábio que a experiência não é o que se vive, é o que se faz daquilo que se viveu. É possível ter inúmeras experiências... e não ter aprendido muito com elas. Da mesma forma, é possível ter menos vivências, mas ter destilado delas toda sua quintessência, seu cerne substancial. E depois?

Você vai parar por aí? Ou, agora que você já começou, aproveitará o impulso e continuará sua ascensão para os picos do não julgamento e do amor, com os belos platôs intermediários que há no caminho?

Eu o encorajo de verdade a continuar, ainda mais porque você já fez o mais difícil: começar.

Em um livro que eu lia quando criança, havia dois desenhos explicando que era necessária a força de seis homens para empurrar um pequeno vagão parado em uma estação (primeiro desenho); em compensação, uma vez posto em movimento, somente um era necessário para manter esse vagão em movimento (segundo desenho). Seis vezes menos esforço para manter o impulso, para continuar avançando, do que para sair da imobilidade, ou seja, do *status quo*, de nossos velhos hábitos!

E se você relesse o livro desde o começo, para uma nova série de 21 dias?

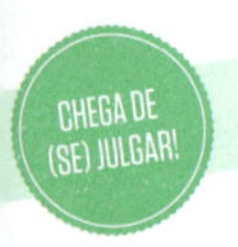

Do juízo final ao último julgamento

O dia do juízo final lhe diz alguma coisa? Nas religiões monoteístas, e sobretudo no cristianismo, no qual eu cresci, é o dia – no fim dos tempos – no qual Deus julgará os atos dos humanos e, potencialmente, algumas pessoas sofrerão a danação eterna, ao passo que outras gozarão de uma felicidade eterna no paraíso. Uma perspectiva não muito animadora, quando você não tem certeza se está pendendo para o lado certo da balança! Quantas crianças e também adultos viveram ou ainda vivem nas dores da angústia durante anos, temendo acabar no inferno por ter cometido algum erro (muitas vezes banal!) que eles consideravam imperdoável?

Evidentemente, haveria muito a dizer sobre essa curiosa ideia de um Deus que julga suas criaturas de maneira tão impiedosa (apesar de os evangelhos afirmarem que "Deus é amor"), mas outros autores já se dedicaram a isso. Eu aqui me limitarei a ressaltar que esse juiz impiedoso lembra sobretudo aquele que a maior parte de nós tem na cabeça desde a manhã até a noite, e que, nesse caso, o inferno é aqui e agora – considerando a vida aterrorizante que uma concepção das coisas como essa nos faz viver –, e não em algum futuro longínquo.

É claro que podemos indistintamente jogar fora todas essas noções, considerando-as velhas e ultrapassadas, infantilizantes e culpabilizantes, o que elas provavelmente até são, pelo menos sob determinadas perspectivas. Mas, pessoalmente, eu prefiro privilegiar a abordagem que consiste em instilar outro sentido aos conceitos que não me servem e colocar neles uma consciência diferente, mais elevada, em vez de rejeitá-los completamente. Isso me permitiu diversas vezes extrair uma ou duas belas preciosidades de uma noção antiga, de uma forma antiga mais adaptada à nossa época e a nossas mentalidades.

O juízo final, versão tribunal celeste impiedoso? Não, obrigado! Não consigo associar essa ideia sórdida à de um princípio divino que é amor, sabedoria e verdade, que adotei para mim. Em compensação, se inverto as palavras, o dia do juízo final pode de repente se tornar aquele em que pronuncio meu último julgamento! Mudança total de perspectiva! Não é mais o dia em que eu serei julgado, pesado e enviado Deus sabe para onde (!). Não é mais um dia a temer e esperar com angústia. É um dia a desejar, a esperar, um dia para expandir todo o meu ser. É o dia em que atingirei o pico que estabeleci para mim, o dia em que, eliminando um julgamento aqui, um julgamento ali, dissolvendo meus medos, minhas dúvidas, meus ressentimentos, ódios e rancores, chegarei enfim acima das nuvens que ainda escurecem minha vista, onde o sol do amor poderá brilhar sem entraves em minha vida.

O que acha disso? É mais motivador como perspectiva, não?

Nessa mesma perspectiva, o que chamamos de "fim dos tempos" talvez seja, na verdade, o fim do tempo, ou seja, o fim do reinado da mente, pois é de fato ela que, ao querer medir e recortar o tempo, ao querer "ganhar" ou "recuperar" o tempo, acaba nos aprisionando nele e nos impedindo de estarmos plenamente presentes, em total consciência, no momento.

Hoje, quando ouço falar em fim dos tempos e dia do juízo final, isso não me irrita mais como há trinta anos, não provoca em mim nem reação nem crise de urticária anticlerical: à visão aterrorizante de minha infância se sobrepõe automaticamente em mim a do marco de meu derradeiro julgamento, a do dia em que eu terei julgado pela última vez e, plenamente liberto do tempo cronométrico que corrói nossas vidas como Cronos devorava seus filhos, acessarei para sempre essa vida plena à qual nosso coração nos abre, a esse tempo bidimensional ou tridimensional que acrescenta somente a seu fluxo mensurável toda a densidade e a profundidade da consciência e do amor que infundimos a ele a cada instante.

Então, pronto para continuar com a aventura até o dia de seu derradeiro julgamento?

Conclusão: uma justiça, duas injustiças

Ao fim desta obra sobre o não julgamento, veio a vontade de terminar com uma injunção um tanto surpreendente: seja injusto!

Injusto?

Não deveria ser o contrário, com um esforço para ser o mais justo possível em todas as coisas? Almejar a justeza assim como a justiça? Era o que eu achava antes de descobrir, já há anos, pela escrita de O. M. Aïvanhov,[1] a ideia de que de fato existe uma justiça, mas também duas injustiças muito distintas uma da outra.

Imagine que você está indo comprar um quilo de cerejas no mercado.

Temos três situações hipotéticas:

- O vendedor lhe dá menos do que um quilo. É injusto: você protesta e pede o que lhe é devido.
- O vendedor enche o prato da balança, que mostra pouco mais de um quilo, então ele tira cinco ou seis cerejas para chegar a exatamente um quilo, nem um grama a menos, nem a mais. Dessa vez é justo para com você. Mais justo impossível, aliás. Talvez um pouco justo demais?
- O vendedor enche novamente o prato da balança, que indica um belo quilo. E eis que ele pega mais um punhado de cerejas e as acrescenta ao prato! É justo dessa vez? Não, é injusto, uma

[1] O. M. Aïvanhov, *Les lois de la morale cosmique* (Fréjus: Éditions Prosveta, 1975).

vez que ele está lhe dando mais do que é devido. Mas é de uma outra forma de injustiça que se trata dessa vez...

Existe uma injustiça por baixo da justiça que nos parece criminosa, que combatemos e procuramos retificar. Mas existe uma outra que está acima da justiça pura e que a supera: ela lhe dá mais do que lhe deve, mais do que merecemos, talvez.

Qual é essa segunda forma de injustiça?

É o amor, simplesmente.

Sim, o amor não é justo. O amor é injusto. O amor está acima da justiça. O amor acredita, o amor confia, ele vai além daquilo que a simples justiça preconizaria.

Quando eu julgo, por acaso meus julgamentos são realmente justos? A balança de minha justiça está de fato equilibrada? Por acaso não corro o risco de ser injusto no mau sentido do termo, ou seja, de dar menos ao outro do que ele realmente merecia? Menos amor, menos atenção, menos respeito, menos confiança, menos oportunidade?

Então, já que você corre o risco de ser injusto, por que não optar conscientemente pela outra injustiça?

Seja injusto, mas optando pela injustiça que consiste em amar, a dar uma nova chance, a continuar apostando no melhor. É claro que também é preciso ter sabedoria na vida, e discernimento, como já falamos tantas vezes. Mas a sabedoria e o discernimento devem ser os diques e canais que canalizam inteligentemente nosso amor, e não a barragem por trás da qual este se estagnaria e se tornaria fétido. A água vem antes do dique, antes do canal. O amor também precede a sabedoria.

Então, autorize-se essa injustiça, e uma boa continuação no caminho para o não julgamento e o amor!

MEU DIÁRIO DE BORDO

1ª semana

2ª semana

3ª semana

Balanço

Bibliografia

AÏVANHOV, O. M. *Les lois de la morale cosmique.* Fréjus: Éditions Prosveta, 1975.

BAIR, Deirdre. *Jung: une biographie* [título em português: *Jung: uma biografia]*. Paris: Flammarion, 2007.

BÉDARIDA, François. *Churchill.* Paris: Fayard, 1999.

CLERC, Olivier. *La grenouille qui ne savait pas qu'elle était cuite... et autres leçons de vie*. Paris: JC Lattès, 2005.

________. *Le don du pardon*. Paris: Trédaniel, 2010.

________. *Le jeu des accords toltèques*. Paris: Trédaniel, 2012.

GROF, Stanislav. *Quand l'impossible arrive.* Paris: Trédaniel, 2009.

HURTADO-GRACIET, Maria-Elisa; BODIN, Luc. *Ho'oponopono*. Bernex/Saint-Julien-en-Genevois: Éditions Jouvence, 2011.

ISAACSON, Walter. *Steve Jobs: la vie d'un génie* [título em português: *Steve Jobs: a biografia*]. Paris: Le Livre de Poche, 2012.

KAPFERER, Jean-Noël. *Rumeurs*. Coleção Points. Paris: Seuil, 2010.

KATIE, Byron; MITCHELL, Stephen. *Aimer ce qui est*. Outremont: Ariane, 2003.

KEYES, Ken. *Manuel pour une conscience supérieure* [título em português: *Guia para uma consciência superior*]. Éditions du Gondor, 2004.

LIEDLOFF, Jean. *Le concept du continuum*. Genebra: Ambre Éditions, 2006.

MEHL-MADRONA, Lewis. *Ces histoires qui guérissent*. Paris: Trédaniel, 2007.

MINTO, Arlo Wally. *Tous ensemble, tous différents!: le secret des complémentarités dans le couple et dans la vie*. Bernex/Saint-Julien-en-Genevois: Éditions Jouvence, 2001.

PRADERVAND, Pierre, *Vivre sa spiritualité au quotidien.* Bernex/Saint-Julien-en-Genevois: Éditions Jouvence, 1997.

ROJZMAN, Charles. *Bien vivre avec les autres*. Paris: Larousse, 2009.

ROSENBERG, Marshall. *Les mots sont des fenêtres (ou des murs)*. Bernex/Saint-Julien-en-Genevois: Éditions Jouvence, 1998.

RUIZ, Don Miguel. *La maîtrise de l'amour* [título em português: *O domínio do amor*]. Bernex/Saint-Julien-en-Genevois: Éditions Jouvence, 2000.

_________. *Les quatre accords toltèques* [título em português: *Os quatro compromissos: o livro da filosofia tolteca*]. Bernex/Saint-Julien-en-Genevois: Éditions Jouvence, 1999.

ÍNDICE onomástico

ÍNDICE de exercícios

Índice de conteúdo